Makatka

Katarzyna
Grochola
Dorota
Szelągowska

Makatka

Wydawnictwo Literackie

Córka
Matka

Prolog
Dorota

Po pierwsze, ta książka miała mieć tytuł *Warkocze z pępowiny*. Nie znalazłam bardziej dramatycznego zdania na początek, a to jest w dodatku prawdziwe. Wybijanie tego pomysłu z głowy Mojej Matce trwało dwa tygodnie.

— W wydawnictwie się podoba i Wieśka też twierdzi, że tytuł jest świetny! — mówiła Matka.

— Owszem, powiedziałam, że jest nieco kontrowersyjny — stwierdziła Wieśka, do której zadzwoniłam dzień później.

— Ta twoja koleżanka Baśka nigdy ci dobrze nie życzyła — odpowiadała Matka, kiedy to ja powoływałam się na innych. — A czy Marcin ma jakiekolwiek pojęcie o tytułach? — pytała retorycznie.

Nie było łatwo. W końcu Matka jednak uległa, choć wiem, że nadal uważa, iż popełniamy wielki błąd. W przeciwieństwie do wydawnictwa, które zmianę przyjęło z wielką ulgą.

Po drugie, nasza książka jest oczywiście nepotyzmem w najczystszej jego postaci. Co prawda, można było dla bezpieczeństwa i przejrzystości zaproponować rolę córki komuś zupełnie obcemu, ale uznałyśmy, że jednak będzie nam razem łatwiej. Poza tym jestem jedną z niewielu osób, których maile Matka czyta, oszczędziło to więc wydawnictwu wielu godzin umawiania autorek i pośredniczenia między nimi.

Po trzecie, nie mam pojęcia, jak ona to robi. Chodzi o Moją Matkę i pisanie. W jej Królestwie Chaosu, gdzie miłościwie panuje od ponad pięćdziesięciu lat, wszystko wykonuje się naraz i bez żadnego planu. A jeżeli już jakiś plan się pojawi, to wtedy trzeba koniecznie postępować wbrew niemu. Zupełnie nie rozumiem, w jaki sposób i tak wyszło na to, że ja z moim poukładanym trybem pracy zawsze byłam nieterminowa, spóźniona, poza grafikiem, a ona robiła wszystko na czas. Frustrujące.

Po czwarte i najważniejsze: do niedawna uznawałam, że jeśli nie jedynym, to z pewnością najistotniejszym powodem, by napisać książkę, jest rozdział „tytułem wstępu". W nim mogę podziękować najbliższym, że niezależnie od okoliczności trwali przy mnie przez ostatnie -dzieścia lat; tym, którzy pojawiali się w moim życiu na krótko, ale zawsze w najbardziej odpowiednim momencie, tym, których doceniłam po czasie, i tym, którym najtrudniej to powiedzieć *face to face*. A innych mogę pominąć okrutnie, aż im w pięty pójdzie. Układałam sobie w głowie ten dziękczynny wstęp od chwili, kiedy postanowiłam, że wydam książkę, czyli od mniej więcej dwunastego roku życia. Co prawda większość wymienianych osób zmieniała się jak w kalejdoskopie w zależności od tego, jaki chłopak właśnie mnie rzucał, a w jakim się zakochiwałam, u którego nauczyciela miałam egzamin poprawkowy i która przyjaciółka zawiodła mnie na śmierć i życie. Wstęp więc ewoluował i kiedy w końcu uznałam, że nadeszła wiekopomna chwila i mogę podzielić się nim ze światem, Moja Matka postanowiła zostać jedną z najpopularniejszych polskich pisarek i zrozumiałam, że nigdy już nie wydam żadnej książki. Na jakiś czas przedsenny zwyczaj dziękowania wszystkim na kartach mojego dzieła zastąpiły więc tradycyjne podziękowania wygłaszane ze sceny przy odbiorze „jakiejś bardzo ważnej nagrody". Ich zawartość merytoryczna nie była jednak szczególnie istotna, gdyż zbytnio skupiałam się na własnym wyglądzie. Wymyślanie sukienki i fryzury, która miała wszystkich rzucić na kolana, było tak wykańczające, że zasypiałam, zanim ze sprytnie ukrytej pod krynoliną kieszonki udawało mi się wygrzebać kartkę, z której miałam czytać.

Podobno Matka załatwiała takie sprawy, wyobrażając sobie, że przelatuje nad swoim kondukten żałobnym i z satysfakcją przypatruje się, jak wszystkim, którzy kiedykolwiek jej nie kochali, nie zauważali, nie doceniali oraz którzy stawiali dwóje, jest ogromnie przykro i każdy, ale to każdy chce cofnąć czas. Nie wiem, czy miała inne wersje tej potwornej zemsty, ale ostatecznie to ona została słynną pisarką i mogła sobie do woli dziękować, dedykować, a nawet sklecać negatywnych bohaterów o cechach tych prawdziwych z konduktu, we wszystkich książkach, które do tej pory napisała.

Dobiegając trzydziestki, powoli zaczęłam się godzić z tym, że moja dziennikarsko-designerska praca, nieważne jak bardzo przeze mnie lubiana, nie prowadzi na żaden piedestał, z którego będę mogła rozdawać względy i komukolwiek dziękować. I wtedy właśnie dostałyśmy z Matką propozycję wspólnego pisania felietonów, a w naszych głowach zaczął kiełkować pomysł na książkę. Ponieważ najlepszym sposobem na poradzenie sobie ze wszystkimi lękami jest wyjście im naprzeciw, uznałam, że nie ma lepszego sposobu — i tak jak pewna kobieta cierpiąca na arachnofobię, którą kiedyś widziałam na Discovery, weszła do szklanej trumny z tarantulami, ja podjęłam wyzwanie. Być może łatwiej byłoby napisać najpierw powieść pod pseudonimem i być ocenioną wyłącznie za jej zawartość, bez tych wszystkich szufladek i nepotycznych koligacji, ale czy rzeczywiście o to chodzi? Jestem tym, kim jestem, ze wszystkimi konsekwencjami. I wiecie co? Dobrze mi z tym.

Po piąte — prolog właściwy — czyli dziękuję tym, bez których…

Mojej ukochanej od dwudziestu lat Kasi — najlepszej przyjaciółce, jaką mogłabym sobie wymarzyć, bez której nie byłoby części mnie. Mojej wspaniałej, prawie włoskiej rodzinie — za Kikoły, wszystkie dyskusje przy stole, gry w tabu i jengę oraz prawdziwe wigilie. Zańczakowi — jednemu z niewielu wyjątków potwierdzających regułę, że nie ma przyjaźni między mężczyzną a kobietą, który zawsze zna dwa ostatnie wersy moich limeryków. Oli — mistrzyni analiz, zapalenia oskrzeli w weekend i towarzyszenia w dziurach czasowych — dziękuję, mimo iż zawsze o te kilka punktów wygrywa ze mną w SingStar. Mani — za wszystkie kawy wypite przy płocie, mnóstwo nowych zasad karcianych, wiosny, burze w ważnych momentach i wspólne doprowadzanie naszych Matek do białej gorączki. Zośce — za wdzięk podczas doprowadzania do białej gorączki, za kakao z pianką w sobotnie poranki i drugie wigilie. Kani — za wszystkie ucieczki przez okna, spacery o świcie, a także barszczyk na sucho, o każdej porze dnia. I Dawiniowi, bo jest. Grażynie — zastępczej matce, dla której nie ma spraw nie do załatwienia. Milenie — bufetowej z rejonu, której do twarzy nawet w okularach ochronnych. Karolinie, zwanej Szefową — za frytki w Grudeksie, samolotowe puszki coli, noc w garderobie i maturę z angielskiego. Mojemu bratu Tomkowi, bo bardzo go kocham. Fiedlerowi, żeby się nie obraził. Fantastycznym Dorotce i Marcinowi — za wycieczki do lekarzy i whisky po. Przezdolnej i cudnej Gosi — za wszystkie niesamowite słodkości. Moni — za dom (dla mnie) otwarty i winne spotkania. Natalii i Michałowi — wiecie, że wasze małżeństwo powinno być w Sèvres obok wzorca metra? Igorowi — mimo amnezji, bo słucha i nie ocenia (przynajmniej na głos) — dziękuję za pomoc przy książce; nie dałeś mi zwariować, choć było blisko :). Violi — za talent, wrażliwość i dobro. Patrycji i Rafałowi, bo „nigdy nie będzie takiego lata". Ewelowi i Młodemu — głównie za wspólne zasypianie w domu rodziców. Rodzinie Narzeczonego za Narzeczonego. Dżejsonowi o najpiękniejszym głosie. Psorce Czaj, Dyrektorowi

Froelichowi i innym cudownym „losowym" nauczycielom za wszystko. Leszkowi i Rymkowi za wszystkie postaci z plasteliny, bezsenne montaże oraz wschody i zachody słońca. Pawłowi, bo tak ładnie wychodzi na moich zdjęciach. Pani Ewie K. za osiem lat zmian. Izie za nadbagaże w podróżach z LA. Reni i Dorotce — najlepszym niemoim matkom. Agacie za mądrość i krije na wszystko. Joasi Sz. za inspiracje, Polarnym Fokom za Zeona i wieloglos. Joasi, Karoli i Piotrkowi oraz Asi z Bartkiem — przecudownym sąsiadom. Darkowi, Agentce Adze, K., Kałamani, Modrzesi, Mery i Baśce oraz tym wszystkim, o których zapomniałam, a których powinnam tu wymienić.

Ale przede wszystkim dziękuję moim najukochańszym — Antkowi, który coraz bardziej jest osobnym człowiekiem i nieustającym źródłem miłości i inspiracji, Adasiowi za każdy dzień, każdą różnicę i wszystkie podobieństwa, a najbardziej za wolność i cierpliwość. Mojej Matce — bez której nie tylko nie byłoby tej książki, ale przede wszystkim nie byłoby mnie.

Prolog, czyli epilog

Kasia

Nienawidzę wstępów. Po prostu nienawidzę. Prologów, zapowiedzi, tłumaczenia się i wszystkich tych podziękowań, jakby dzięki nim słowa nabierały treści.

Poza tym — czy mój pies umie czytać? Jak mam mu łaskawie podziękować za to, że w chwili, kiedy pospiesznie kończę przygotowywać ten tekst, postanowił uciec przez otwartą wewnętrzną furtkę sąsiadki i zamiast się zgubić i spowodować, że będę cały dzień biegać po lesie i szukać go — grzecznie siedział pod moją właściwą furtką zewnętrzną i zaszczekał, i tylko dlatego dowiedziałam się, że sam się przespacerował, nie odrywając mnie od pracy? Dostał w nagrodę ciasteczko. I to wystarczy.

Korzystając zatem z okazji, powiem, jak to było.

Pisało nam się felietony nieźle. Moja córka pisała u siebie (zwykle trzy dni po terminie oddania do redakcji i moich dwustu telefonach ponaglających, mejlach, telefonach do jej Narzeczonego itd.), ja pisałam u siebie, z terminem, który parzył na plecach. Do przeżycia.

Odległość czterdziestu kilometrów robiła swoje, przy czym określenie „robić swoje" należy w tym przypadku przetłumaczyć jako „robić dobrze".

Problem pojawił się w momencie, kiedy miałyśmy nasze pisanie zebrać w książkę. Nie wydawało się to trudne — ona poprawi swoje teksty, ja poprawię swoje i „będzie dobrze". Ale „jakoś to będzie" w naszym wykonaniu musiało trafić w końcu na mur, którego głową nie przebijesz.

Bo okazało się zupełnie nagle i niespodziewanie, że książka musi mieć tytuł. Dziwne, prawda? Jaki tytuł ma mieć książka, która się składa? Składak?

Bo listy do córki i listy do matki już były. Były listy wybrane, listy do ciebie, listy do niego i listy między. Listy prywatne i listy płac. Listy na czerpanym i wyczerpane listy. Listy jako takie istnieją w literaturze pięknej i niepięknej od wieków. A poza tym my nie pisałyśmy listów!

Telefon z wydawnictwa uprzytomnił mi, że sprawa jest poważna. Bo matka z córką, aby było wiadomo, że to nie jakieś obce.

Jak połączyć matkę z córką, nie używając słów matka, córka, macierzyństwo, dzieciństwo, rodzina?

Matka i córka — jak żyć i przetrwać w macierzyństwie.

Sposób na przetrwanie.

Matka i córka — jak przeżyć z matką.

Na córce matka, na matce córka.

Nie! — krzyczało całe moje jestestwo, kiedy pilny telefon z wydawnictwa kazał nam podać do godziny szesnastej następnego dnia tytuł, bo wtedy idą do druku zapowiedzi wydawnicze.

Zadzwoniłam do Córki.

Odebrała za piątym razem, bo — ponieważ mieszka w Warszawie — nie ma zasięgu. Ot, taka ciekawostka. Przy palniku w kuchni ma, a koło zlewu nie. Tak rozwinięta technika. Podejrzewam, że zasięg w naszych telefonach — różnych sieci — działa na ciepło wydzielane z miejsca, w którym się jej telefonik (lub mój, kiedy tam jestem) znajduje. Koło kuchenki jest cieplej niż koło zlewu.

O wpół do dwunastej odebrała.

— Nie matka, nie córka, wymyśl coś — powiedziałam pojednawczo, bardzo spanikowana.

— Nie mam pojęcia — powiedziała. — Dlaczego ja mam wymyślać? Pakuję się, wyjeżdżam jutro na warsztaty. Nie mogę rozmawiać teraz, zrozum. Zadzwonię jutro.

Rano telefon do wydawnictwa, że tytuł będzie, ale jutro.

Dzwonię cały dzień, wieczorem odbiera.

— Dzwonię cały dzień, dlaczego nie odbierasz?

— Mówiłam ci, że jestem na warsztatach z witrażu. Zrobiłam ci anioła.

— Musimy — wyszeptałam — musimy mieć tytuł. Matka i córka.

— Dlaczego matka i córka?

— Bo jesteśmy matką i córką! Mówiłam ci przecież tyle razy! Teraz to dla ciebie niespodzianka?

— Beznadziejny.

— Żeby było wiadomo, ale żeby nie było tych słów, tylko jakieś inne.

— Inne? Mamo! Ja dzisiaj podgrzewałam kobalt i nie mam czasu teraz się tym zajmować.

— Uruchom wyobraźnię! Z czym ci się kojarzy matka i córka?

— Z telefonami o północy, z tym, że ja nie chcę teraz z tobą rozmawiać.

— Błagam! Cokolwiek!

— Nie mam pojęcia.

— Nie mogę sama wymyślać tytułu, bo i tak zmienisz.

— Ale ja nie wiem. Wracam w sobotę.

— Sobota jest za dwa dni, tytuł musi być teraz.

— Pępek!

— Co pępek?

— Pępek świata!

— Pępek świata? — Byłam zdumiona. Tylko tyle?

— Kierunek dobry, ale nie pępek! I to świata!

— Skąd ja ci wezmę tytuł, kiedy jestem zmęczona.

— Dorotka, zrób coś.

— Warkocze z pępowiny sobie zrób!

Zawsze wiedziałam, że mam genialną córkę.

— Jesteś genialna — krzyknęłam i rozłączyłam się.

Jeszcze nie zamknęłam klapki od swojego starego telefonu, kiedy zadzwoniła Moja Córka.

— Ty chyba nie mówisz poważnie! Przecież ja żartowałam!

— To jest dokładnie to, czego szukałam w myślach!

— Ale ja nie chcę! To był żarcik, nie rozumiesz?

— Prześpij się z tym — powiedziałam pojednawczo — jutro się zdzwonimy.

Za piętnaście minut telefon.

— Nie chcę żadnej pępowiny! I w ogóle co to ma znaczyć?

— Pogadamy jutro — żadnego podniesionego głosu, nic z tych rzeczy.

— Mamo, nie!

Mamo, nie! — to świetny tytuł, swoją drogą, ale wtedy na to nie wpadłam. Warkocze z pępowiny — wydałam na świat geniusza, a geniusz żartuje.

Rano wykonałam szesnaście telefonów.

Ale warkocze kojarzyły się niedobrze. Że staroświeckie, ciężkie, obciążające. Że nie można obciąć włosów, bo tatuś lubi warkocze. Nie można mieć modnej fryzury. Nie, nie. Pępowina OK, ale warkocze niedobre.

M. powiedziała, że hardkor, ale świetne. Tylko co to ma znaczyć?

M. powiedział, że wstrętne, pępowina jest obrzydliwa, niech zostaną same warkocze. Tylko po co komu taki tytuł? Przecież to nie poradnik fryzjerski.

Esemes od Córki: „Mamo, ŻARTOWAŁAM!!!"

G. powiedział, że ciekawy, owszem. Czyli że znowu nie oderwana, nie odcięta, nie odgryziona pępowina, tylko splątana, tak? O tym będzie?

F. powiedziała, że jestem genialna. Nieśmiało wtrąciłam, że nie ja, niestety, to wymyśliłam.

— Genialne! Warkocze z pępowiny muszą się każdemu z czymś kojarzyć! Na przykład mnie kojarzą się z krwią! Matka, córka, krew, związek, niepowtarzalność, tradycja, Ge-nial-ne!

B. milczała przez chwilę.

— Ty to wymyśliłaś? — w jej głosie słychać było ogromne rozczarowanie.

— Ja — powiedziałam wobec tego, by wziąć winę na siebie.

Moja ciotka również chwilę milczała, a potem powiedziała:

— Wiesz, ja nie jestem zwolenniczką tego typu tytułów, ale to brzmi. Zwraca uwagę. Z tym że ja wolę świat, który nie zwraca na siebie uwagi. Ale tytuł niezły.

Telefon Mojej Córki milczy. Nagrać się też nie mogę.

O trzeciej dzwonię do wydawcy.

— Warkocze z pępowiny — mówię i słyszę ciszę.

I ciszę.

I ciszę.

I ciszę.

A potem szum wydychanego powietrza. Jakby szmer, prawie niesłyszalny cichutki gwizd.

— Warkocze z pępowiny? — powtarza głos w słuchawce, chcąc się upewnić.

— Właśnie!

— To ostateczna wersja?

Nie było innej wersji. Pierwsza i ostatnia. Razem dwie.

Kiwam głową. Przez telefon chyba nie widać.

Siadam i patrzę z przyjemnością na ogród. Posprzątany, wszystko przycięte, róże zaopiekowane, będą cudnie kwitły. Koty wygrzewają się w słońcu. Zaraz ma prawie siedemnaście lat, a zachowuje się jak młodzieniec.

Dlaczego się do mnie tak przyczepiły te warkocze? Właściwie to tłumaczenie piszę dla Mojej Córki.

Warkocze z pępowiny — to urodziny. Najważniejszy dzień w życiu matki — kiedy rodzi się jej dziecko i kiedy życiodajna pępowina, która chroniła, karmiła, wiązała, zostaje brutalnie przecięta. Biedne maleństwo musi wziąć oddech, bo już przez pępek nie idzie nic fajnego, zostało odłączone od ssaczka z dobrymi rzeczami, które mamusia jadła, zaczyna być głodne, sfrustrowane, nieszczęśliwe. Za chwilę będzie zawinięte w szmatki, które choćby najbardziej miękkie, nie będą tak przyjemne jak cudowna woda w brzuchu, ani tak ciepłe, ani tak wygodne.

Nie ma pępowiny, nie ma bezpiecznego brzucha — jest świat, który z każdym dniem i miesiącem zaczyna rosnąć do monstrualnych rozmiarów. W tym świecie trzeba żyć i przetrwać w sposób możliwie najbardziej cudowny. Więc tę wirtualną pępowinę się za sobą ciągnie. Jest jak smycz, czujemy się najpierw bezpiecznie — bo gdzieś tam jest matka, która pomoże, a potem próbujemy ją za wszelką cenę oderwać, oderżnąć, odpiłować, nie pamiętać, że ona jest. Utrudnia nam własne wybory, nie czujemy się dorośli, a jeśli przypadkiem przeczytaliśmy mnóstwo mądrych książek, gdzie fraza „nie odcięta pępowina" jest przewodnim tematem każdego „toksycznego związku" — nienawidzimy słowa pępowina.

Pępowina to kontrola, niesamodzielność, brak wyboru.

Pępowina oznacza, że kto inny decyduje o mnie.

Pępowina to wolność czerpania z życia wszystkiego, co jest mi potrzebne.

Pępowina to radość, że nie ja muszę się martwić.

Pępowina to zniewolenie.

Pępowina to bunt, że już nie chcę z niej korzystać.

Pępowina to smutek, że teraz jestem sam.

Pępowina to uciecha, że mogę być już sam.

A jeśli odciąć pępowinę, ale zatrzymać ją na pamiątkę? By przypomnieć sobie wszystkie dobre rzeczy, może trudne, ale zawsze biorące się z miłości? By zawsze pamiętać, że nie jestem sama w kosmosie. Jest ktoś, kto mnie kocha.

Z takiej pępowiny przecież można zrobić na przykład warkocze. Dziewczynki lubią być czesane, mają długie włosy, dopóki ich w buncie przeciwko rodzicom nie zetną, ale póki je mają — można pleść piękne warkocze.

Warkocze to nie dwie pępowiny, tylko przynajmniej sześć, każdy warkocz musi mieć przecież trzy części, żeby mógł być warkoczem. A potrójne części warkocza składają się z niezliczonej liczby pępowin. Ale mamy matki i mamy córki, nasze matki miały córki, nasze córki mają synów, nasi ojcowie mieli matki. Jest nas tysiące. Nic w przyrodzie nie ginie, bez względu na to, jak bardzo byśmy czasami tego chcieli.

Warkocze z pępowiny są dla mnie Naturą. Darem Bożym. Opieką. Troską. Miłością. Pamięcią.

Więc dlaczego nie *Warkocze*, lecz inny tytuł?

Bo moja córka byłaby nieszczęśliwa.

A warkocz z pępowiny rezygnuje z samego siebie, uszczęśliwiając dziecko, nawet jeśli jest ono dorosłe.

Swoją drogą, to zabawne, że całe życie walczyłam, żeby przypadkiem nie być posądzoną o tę nieszczęsną nieodłączoną pępowinę, a teraz sama szukam jej w przeszłości i przyszłości, jako symbolu ciągłości i życia. Również przemijania. Korzeni. Rodziny. Tradycji. Symbolu przodków i następnych pokoleń. Mojej miłości do Córki i do jej Syna.

Chciałam, żeby nasze teksty zostały podzielone na miesiące. Ponieważ Moja Córka urodziła się we wrześniu, nasz rok, Rok Matki i Córki, trwa od września do września.

Zabawne jest to, że prologi piszemy równocześnie — i trafiają one od razu do wydawnictwa. Jedyny tekst osobny.

I teraz mogę jej podziękować.

Za to, że jest.

Dziękuję ci, Dorotko.

Nic nie słyszę, nic nie słyszę, nic nie słyszę...

Czyżbym słyszała: Mamo, czy możesz mi dać na kino?

Wrzesień

Każdy pies ma dwa końce. Na drugim siedzi.

Oksymoron w ciele kota: - wredny Przytul

Oto Moja Matka

Dorota

— Dlaczego ty mówisz o niej: matka? — zapytał mój Narzeczony.

— Może dlatego, że to jest... hmmm... moja matka? — odpowiedziałam.

Z długiej dyskusji, która wywiązała się potem, dowiedziałam się, że „matka" jest bezosobowa, ostra, oschła i w ogóle urzędowa jak cholera.

I że nie powinnam tak „matkować", a już szczególnie przy dziecku, bo ma gumowe ucho i się uczy. Tylko co ja mogę poradzić na to, że od zawsze mam matkę, już nie mówiąc o tym, że od zawsze mam też ojca, ale w ogóle rzadko o nim wspominam, więc i tym razem nie muszę.

Moja Matka bynajmniej nie jest bezosobowa. Czasem mam nawet wrażenie, ze jest kilkoma osobami naraz lub jedną po drugiej. I naprawdę nigdy nie wiadomo, na kogo się trafi. Żadnej gwarancji. Przejście z etapu „chcę dać ci wszystko" do

„dlaczego mi chcesz wszystko zabrać?" trwa u niej kilkanaście sekund. Być może dzięki temu mam tak dobry refleks w ping-pongu i zawsze wiem, gdzie podstawić paletkę. Nawet jak przeciwnik ścina niemiłosiernie. I pewnie też dlatego mam taką potworną niechęć do stagnacji, spokoju i poukładania.

Życie z nią, nawet oddaloną o czterdzieści kilometrów, było, jest i będzie największą przygodą.

Nauczyłam się już nie zwracać uwagi na przemeblowania w jej domu, ściany, które powstają lub są wyburzane, kolejne stoły i dywany. Moją Matkę cechuje cudowna wybiórczość, jeśli chodzi o realia cenowe. Generalny remont za dwadzieścia tysięcy w jakimś pięćdziesięciometrowym mieszkaniu jest absolutnym złodziejstwem, ale kredensik za dziesięć tysięcy jest niesamowitą okazją. Wśród rodziny krąży legenda, że gdy Moja Matka pojawia się na targu w Broniszach, sprzedawcy dopisują do cen jedno zero. Choć ostatnio chyba coś się poprawiło, bo z dziesięciu antyków, które koniecznie i natychmiast chciała kupić od mojej przeprowadzającej się przyjaciółki, została tylko przy lampie, której ta w końcu zdecydowała się nie sprzedawać.

Byłam dumna. Naprawdę.

Moja Matka nie jest też ostra ani oschła, a już tym bardziej urzędowa. Do wszelkich rzeczy urzędowych ma wrodzony wstręt. No, chyba że chodzi o budowę drogi lub asfalciarni pod jej domem, to wtedy walczy. Nawet na drodze urzędowej. I nie przyjmuje do wiadomości, że mogłoby się nie udać.

Ona w ogóle jest przekonana, że zawsze dostajemy od życia to, o czym marzymy. I ona naprawdę to zawsze dostaje. Chyba że mówimy o daniach w restauracji (jej jest zawsze najgorsze: „Mogłam wziąć to, co ty") lub o prezentach („No a dlaczego nikt nigdy mi nie kupił takiego samego jak twój...").

Podczas nagrywania jednego z programów Matce udało się wynieść kwiaty, mimo że były dekoracją, która miała służyć jeszcze w czasie kolejnych odcinków. Nie było oczywiście łatwo, jednak znalazła sposób. Po prostu odpowiadając na każde zadane pytanie, Matka dodawała, jak bardzo te tulipany będą pasować do jej nowego wystroju salonu. — Ja takich nigdzie nie znajdę — mówiła.

I dopóki prowadząca nie przyrzekła solennie, że może je zabrać, Matka nie dawała za wygraną. — I tak mieli szczęście — skwitowała potem — kanapa też mi się podobała.

Na bankiecie z okazji moich urodzin też usiłowała wyłudzić kwiaty — oczywiście najładniejszy bukiet (który, rzecz jasna, dostałam ja). Bo przecież to nie moja zasługa, że się urodziłam, a jej owszem.

To było tuż przed tym, jak wymknęła się chyłkiem, a po tym, jak zmusiła dwadzieścia osób, żeby zaczęły tańczyć z nią macarenę. Tylko że ona nie umie i musi już iść. Z bukietem. Tym, a nie żadnym innym. I ten sweterek to właściwie też mogłabym jej dać, bo mnie nigdy nie było dobrze w czerwonym, a jej owszem.

Kiedy jestem u niej z Synem, słyszę zdania typu:

— Dlaczego on się tak wysoko huśta?

— Czy on musi się na to wspinać?

— Dlaczego jesteś dla niego taka ostra?

— Dlaczego cały czas mu zwracasz uwagę?

— W ogóle na niego nie zwracasz uwagi.

— Niech się wykąpie, czemu mu zabraniasz?

— Dlaczego on się kąpie w takiej zimnej wodzie?

W końcu więc zwracam się do mojego dziecka z prośbą, żeby nie wrzucało kamieni do nowego stawku Babci (który bardziej niż oczkiem wodnym jest oczkiem w jej głowie), bo Babcia będzie zła, a mój Synek mruczy:

— Eee tam, Babcia nigdy nie jest na mnie zła.

Zwracam się więc do Mojej Matki z prośbą o reakcję, a ona mówi:

— OK, Antosiu, to jeszcze tylko trzy kamyczki...

I wtedy to czuję. Że choć tak inna od niej, też jestem matką, taką przez duże M. Instytucją. Z innym zdaniem, poglądem, nawykami niż moje dziecko. Bo mamusią i mamą się bywa, a Matką się jest. Po prostu.

Oto Moja Córka

Kasia

Oto Moja Córka. Bardzo długo mówiłam: moje dziecko. Oto moje dziecko. Jestem matką, skoro mam dziecko. Słowo „dziecko" było słowem dumnym. Moje dziecko kończy trzy lata. Moje dziecko powiedziało, zrobiło, sprowadziło. Sprowadziło do domu czarnego kota (bo był taki biedny i chciał być nasz!), kijanki (bo umarłyby u Grześka), nieokreślone robaki w słoiku (bo są takie brzydkie, że nikt ich nie chciał), szczura (bo muszę mieć w końcu coś swojego), chomika (bo jest taki puchaty), papużkę (bo każdy ma, tylko ja nie!), myszki japońskie, które szybko zaczęły się rozmnażać (bo są takie malutkie i rozkoszne), gołębia (on się oswoi i będzie mieszkał na balkonie), obcą dziewczynkę (czy ona może u nas trochę pomieszkać?), przyjaciółki niepoliczalne (daj nam obiad!), a potem już tylko mężczyznę swojego życia.

Między robakami w słoiku a pierwszą przyjaciółką na całe życie moje dziecko powiedziało:

— Nie mów na mnie „dziecko”! Nie jestem twoim dzieckiem! Jestem twoją córką!

Do dzisiaj, kiedy się pomylę, kiedy sobie w porę nie przypomnę, że to nie dziecko, tylko córka, i niechcący z ukrywaną dumą powiem o dorosłej kobiecie: oto moje dziecko, z oczu mojej córki sączy się jad, w którym czai się niechybna zemsta.

Gwoli wyjaśnienia — owszem, kredensik był okazją. Nie dla mnie, ale okazją. Był stary, piękny, odnowiony i na pewno wart dziesięciu tysięcy dla kogoś, kto chce aż tyle wydać na mebel.

Ja kupuję meble w sklepach z używanymi meblami, z czego moja córka się wyśmiewa albo co ją wścieka.

— Dlaczego nie wyrzucisz tych krzeseł, które kupiłaś po czterdzieści złotych? — mówi i pokazuje mi katalogi sklepów meblowych, ale ja do nich prawie nie chadzam. Chyba że mnie namówi.

Ostatnio każe mi remontować — bo trzeba wszystko zmienić, zrobić inaczej, nareszcie tak, żeby tobie było wygodnie, rozumiesz, a nie innym.

Moja Córka jest jedną i tą samą osobą zawsze. I muszę o tym pamiętać.

Wiem, bo byłam u niej w sobotę. Krótkie blond włosy ściągnięte do tyłu (co jest niemożliwe przy tej krótkości, bo o długości mowy nie ma) i narzekanie, że jest gruba.

W pogodny poniedziałkowy ranek wychodziłam z gabinetu lekarskiego, kiedy wpadła na mnie jakaś piękna brunetka, szczuplutka, włosy do ramion, ucałowała mnie serdecznie, krzyknęła:

— Błagam, zadzwoń dzisiaj, potrzebuję twojej pomocy — i zniknęła za drzwiami.

Miałam problem. Owszem, czasem ktoś się na mnie rzuca. Raz na cmentarzu jedna pani mnie pocałowała, bo mnie czytała, w głównej alejce. Ale żeby zaraz od razu błagalne „zadzwoń"? Nie była to moja dawna koleżanka z klasy, bo wiek się zupełnie nie zgadzał. Musiała to więc być któraś z przyjaciółek Mojej Córki, ale dlaczego miałam do niej dzwonić? Miły i szczery był ten pocałunek, więc najwidoczniej znałam ją od jakiegoś czasu i byłam z nią na ty. Może to była Ola, której nigdy nie poznaję i zawsze Moja Córka mnie szczypie w łokieć czy co tam ma pod ręką, gdy się jej za każdym razem przedstawiam.

Ale co ja poradzę, że Ola raz siedzi skulona na kanapie, nie ma włosów i jest malutka, a raz jest wyższa ode mnie i spoza włosów jej nie widać? Po czym ja mam ją poznać, na litość boską?

Myślę chwilę, kto to był, ale ciemność widzę, ciemność. Dzwonię więc do Mojej Córki, żeby ją zapytać, komu dała adres tego doktora, bo ktoś mnie potrzebuje, a ja nie wiem kto.

— A gdzie jesteś? — pyta Moja Córka.

— W poczekalni u doktora X!

Wtedy ona odkłada słuchawkę — po mojemu, czyli wyłącza telefon — w jej języku. Tego nienawidzę najbardziej. Kończenia rozmowy w pół zdania, w ćwierć słowa, bez pożegnania, bez uprzedzenia. Nie mogę się jednak rozzłościć, bo ludzie patrzą, więc uśmiecham się, udając, że nikt właśnie nie przerwał ze mną w sposób niedozwolony kontaktu, i kieruję się do wyjścia.

A wtedy otwierają się drzwi do tego gabinetu, gdzie przed chwilą zniknęła wspomniana brunetka, staje w nich owa piękność i szepcze dość głośno:

— Mamo, no, nie teraz przecież, tylko wieczorem, bo muszę z tobą porozmawiać na temat szkoły!

Wiem, że można się przefarbować, ale jak z włosów trzycentymetrowych blond zrobić w jeden dzień czarne długie?

— No, nie bądź śmieszna — mówi Moja Córka, i staram się nie być, ale i tak nie wychodzi.

Ale Moja Córka zawsze JEST. Nigdy nie ma tak, żeby jej nie było. Jeśli dzwonię, słyszę:

— Oj mamo, no, nie musisz mnie kontrolować, wszystko OK, oddzwonię.

Rozumiem to. Wiem, że matki nie powinny kontrolować swoich córek, szczególnie gdy te są dorosłe, mają własne życie, i robię wszystko, żeby nie pomyślała, że może mamy nie odgryzioną pępowinę.

Kiedy nie dzwonię, wtedy ona dzwoni z pretensją:

— Dlaczego ty się mną w ogóle nie interesujesz?

Jeśli pyta:

— Jak sądzisz? Do której szkoły Antek powinien pójść?

A ja nieopatrznie i nieostrożnie powiem:

— No wiesz, może do najbliższej?

Słyszę:

— Mamo, ty w ogóle nie wiesz, co się teraz dzieje, to są zupełnie inne czasy! Ta szkoła blisko nas jest fatalna, a dzieci powinny ...

I tu następuje długa lista tego, co powinny mieć dzieci. Angielski, muzykę, dobrą szkołę, dobrych nauczycieli itd. Zupełnie inaczej niż w moich czasach, coś podobnego!

Jeśli zaś powiem:

— Wiesz, to są zupełnie inne czasy, doprawdy nie wiem, co ci doradzić, bo w ogóle nie mam pojęcia, o czym ty myślisz...

Wtedy mówi z pretensją:

— No wiesz, inne matki coś jednak doradzają!

I tak to się toczy.

W każdej właściwie sprawie.

I proszę zauważyć, że Moja Córka (nie: moje dziecko!) pisze o swoim synku: moje dziecko.

Z przyjemnością odnotuję dzień, w którym jej synek krzyknie:

— Nie jestem twoim dzieckiem! Jestem twoim synem!

Jeszcze dobre

Kasia

Jakoś tak jesiennie się robi, co mnie zawsze nastraja niezwykle sentymentalnie. Lato odchodzi, liście troszkę żółkną, a życie mija.

Postanowiłam więc zrobić sobie święto, to znaczy nareszcie wyjąć i otworzyć, a nie tylko wyjąć i popatrzeć, i ucieszyć się, że mam — puszkę kawioru, który przywiozłam dwa lata temu ze Lwowa. Z tym że chyba byłam we Lwowie trzy lata temu. Ale w datach nie jestem najmocniejsza. W istnienie kawioru bardzo długo w ogóle nie wierzyłam, ale moja tłumaczka we Lwowie przyniosła trzy puszeczki i powiedziała, że pyszny i prawdziwy.

Pokroiłam cienko bułeczkę, posmarowałam masełkiem, przygotowałam szampana i... z puszki wylazło, owszem, czerwone, ale jakieś takie kleiste, bez kuleczek, i się ciągnęło.

Spojrzałam na datę ważności — 7.06.2007.

Nie mogłam udawać, że to coś jest jeszcze dobre. I przykrość mnie wielka ogarnęła, bo specjalnie sobie schowałam tę puszeczkę, żeby nie od razu, nie jak jakiś ktoś, kto jak tylko sobie kupi kawior, to go zeżre od razu łyżkami, tylko żeby było przyjemnie, a on taki nieważny się zrobił.

Na kanapeczki rzuciłam żółty serek i na elegancką wykwitną kolacyjkę zjedliśmy to, co zwykle na codzienne śniadanie.

Szampan zresztą też nie był prawdziwy, tylko wino musujące udawało szampana.

Bardzo byłam rozczarowana, że moja oszczędność zdała się psu na budę, bo nawet koty tego kawioru nie chciały.

Poskarżyłam się Zośce, a ona mi przypomniała, że we Lwowie to ja byłam cztery lata temu, bo ona pamięta, bo mi tam koło siadło i było śmiechu co niemiara, bo w szczerym polu i w deszczu, i co najważniejsze, nie mogłam znaleźć lewarka i dzwoniłam w tej sprawie do Polski, a lewarek leżał po prawej stronie, więc niepotrzebnie zrywałam obicie z dna bagażnika. I pomógł nam jeden pan ze stacji benzynowej, którą zamknął na cztery spusty, kiedy się dowiedział, że dostanie za tę pomoc całą whisky, wiezioną na wszelki wypadek. I zmienił to koło w błocie po kolana, a samochód się zapadał i było niewesoło. I nikt mi nie powiedział, że na kole zapasowym to się szybko nie jeździ, i w ogóle nie jeździ się długo, tylko do wulkanizacji, a ja przejechałam pół Ukrainy i Polski i nic się nie stało.

I wtedy wiozłam ten kawior. I trzeba go było zjeść wtedy, do czego mnie namawiała, ale skoro ja czekałam na specjalną okazję, to teraz mam.

Próbowałam jej wytłumaczyć, że właśnie teraz nie mam, ale nie słuchała i powiedziała, że ja tak zawsze.

Kiedy słyszę, że ja coś zawsze, to zjeża mi się wszystko, nawet ubranie. Więc już nie rozmawiałam o kawiorze, tylko skończyłam rozmowę troszkę urażona.

Zawsze? Niemożliwe. Może czasami. Ale na pewno nie zawsze. Rzadziej niż częściej, to prawdopodobne. Ale nigdy zawsze!

A potem przeszłam się do łazienki i otworzyłam malutką szafkę, w której sobie trzymam różne fajne rzeczy, które albo dostałam, albo w przypływie jakiejś czułości do siebie kupiłam i teraz czekają na specjalną okazję.

I znalazłam krem do biustu (prezent od przyjaciółki na czterdzieste piąte urodziny), ślicznie zapakowany, więc go nie odpakowywałam, tylko od razu wyrzuciłam, bo nie chciałam, żeby się rozpełzło to coś, co prawdopodobnie było kremem, kiedy miałam czterdzieści pięć lat, których już też (jak kawioru) nie mam.

Znalazłam tusz do rzęs, zgrulony taki był, ale po krótkim namyśle pomyślałam, że jak nakapię do środka trochę wody, to — moim zdaniem — będzie się nadawał. Tym bardziej że rzadko się maluję. I odłożyłam z powrotem.

Buteleczka perfum, od której zgubił się korek, bardzo ekskluzywnych — nie miała już żadnego zapachu, a na dnie czaiła się kropla jakiejś cieczy i wyglądała niezadowalająco. Zanurkowałam głębiej. Pasta, która nie chciała wyjść z tubki. Zwykle wychodzi swobodnie, szczególnie jeśli siedzi luzem w walizce i może wysmarować wszystkie ubrania. Mydełko — popękane ze starości. Gąbka, którą przywiozłam z Krety.

Mydełko wyrzuciłam, gąbkę zamoczyłam, żeby sprawdzić, czy na pewno zachowa się tak, jak myślę. Zachowała się dokładnie tak, jak myślałam — malutkie kawałeczki oblepiły wszystko, a szczególnie starannie udało im się zakleić otwór umywalki.

Nie zrobiło mi to dobrze.

Udałam się do kuchni i otworzyłam szufladę, w której mam bardzo potrzebne różne fajne leki, takie jak magnez czy potas, czy witaminę C, olej z wątroby jakiegoś rekina, który wzmacnia, bo to wszystko należy od czasu do czasu brać, żeby nie mieć grypy, anginy, depresji, stanów lekko lękowych, nie stresować się itd.

Leków nie biorę, bo oszczędzam na czarną godzinę, kto widział faszerować się witaminami na porost, odrost, gładką skórę itd. Przecież zdrowa jestem.

Znalazłam oprócz tego piętnaście buteleczek oleju rycynowego i sześć witaminy A plus E, co troszkę mnie speszyło, ale w porę przypomniało mi się, że dwa lata temu obiecałam sobie robić dwa razy w tygodniu odżywkę z tychże na głowę (plus cytryna i jajko), ale zapomniałam.

Teraz mam fajną pustą szufladę, w której leżą zapałki i potas, ważny jeszcze parę lat. Nie muszę go jeść od razu, może poczekać.

Skoro już byłam przy kredensie, to otworzyłam prawe drzwiczki, za nimi sześć półeczek ze zdrową żywnością. Nasiona do kiełkowania (kupione w marcu), soja, soczewica zielona, słonecznik, kasze palone i jaglane, srebro do picia, żeby coś tam, nie pamiętam co, pszenica i otręby, od których, o ile mnie pamięć nie zawodzi, miałam zacząć zupełnie nowe i zdrowe życie jakieś dwa lata temu, ale zapomniałam, stały sobie spokojnie, tylko troszkę za długo. Niektóre się lekko ruszały.

Ostał się ryż czarny, bo nie ma wydrukowanej daty ważności, to może jest dobry, bo pakowany próżniowo, ale boję się rozpakować.

Ruszyło mnie sumienie, że może Moja Córka ma rację, że ja jakoś niezdrowo żyję, bo nie cieszę się na bieżąco, tylko odkładam na specjalną okazję, która nie nadchodzi w moim mniemaniu, podczas gdy ona właśnie tę specjalną okazję ma — jak sobie otworzy coś nieprzeterminowanego, coś, co kupiła wczoraj lub najdalej tydzień temu. I to zje albo się tym posmaruje, albo to na siebie włoży i się tym ucieszy. Tak pomyślałam ciepło o swojej Córce i że może ma rację.

Choć przecież nie po to ma się rzeczy przyjemne, żeby je od razu konsumować czy niszczyć, czy zużywać.

Gdzie radość oczekiwania?

I czy ja przypadkiem nie jestem chytra? Skąpa, nie daj Boże? Coś jest ze mną nie w porządku? Czy może z nią?

Zje, posmaruje, włoży. Zje, posmaruje, włoży — tłukło mi się po głowie. Włoży — nie dawało mi spokoju. Wstałam z łóżka kwadrans przed północą.

— Włoży! Włoży! — wołało do mnie coś z ciemności.

Otworzyłam szafę. Przecież przed poprzednią Wigilią byłyśmy razem w sklepie i namówiła mnie na piękne czarne legginsy! I ja je schowałam, żeby mieć, o ile się nie mylę, jak schudnę!

Leżały sobie z metką, tak jak je położyłam rok temu.

Śliczne.

Nie schudłam.

Ale są elastyczne. Czy legginsy są modne? Czy mogę je włożyć? Czy mam czekać, aż... No właśnie, co?

Może jestem jednak trochę nienormalna? Dlaczego ja tak mam, a inni nie? Dzisiaj długo rozmawiałam z Manią. Ona mówi, że jestem normalna, że ona też je serek dzień lub dwa po dacie ważności, bo wcześniej jej szkoda.

Jutro spotykam się ze swoją Córką i zakładam czarne legginsy. Bez powodu i bez okazji. Moja Córka twierdzi, że mnie w ogóle nie rozumie. Jak ja mogę coś chomikować i oszczędzać, zamiast używać. I że to głupota. Trochę się nawet pomaluję. Ale wtedy ona na pewno powie:

— Wiedziałam, że tylko przy okazji do mnie zaglądasz, gdzie się wybierasz taka wystrojona?

Jeszcze dobrzy

Dorota

„Córeczko, odpisz i napisz, że nie jestem chytra. Całuję, Mama" — taki dopisek widniał w mailu, którego załącznik stanowił tekst Mojej Matki.

Oczywiście, że nie jesteś chytra! — pomyślałam od razu. A potem zerknęłam do słownika, żeby się w tym przekonaniu upewnić.

„Chytry — przebiegły, podstępny, chciwy, skąpy".

No więc przebiegłość czy podstęp odpadają w przedbiegach. Moja Matka uważa, że świat jest dobry, od innych dostajemy tyle, ile sami dajemy, wszystko jest odbiciem stanu naszego umysłu i tym podobne bzdury.

Chciwa też nie jest, no, chyba że chodzi o moje rzeczy, w których jej będzie na pewno lepiej albo u niej będą ładniej wyglądały, albo jej bardziej zasmakują.

Ale Bartoka, mojego labradora, nie chce, choć z pewnością u niej w ogrodzie byłoby mu lepiej, szczególnie że w okresach wakacyjnych i tak Bartok żyje w nieformalnym związku z jej psem.

Chciwa więc nie jest, przynajmniej jeśli chodzi o cudze zwierzęta. Ale kiedy dochodzę do skąpstwa…

Ha! I broń Boże nie chodzi mi o skąpstwo wobec innych. O nie, innym rozdaje i wydaje, po czym cieszy się jak dziecko. Ale sobie?

W ten oto właśnie sposób dotarło do mnie, że Moja Matka jest skąpa, potwornie skąpa — wobec siebie samej. Bo jak inaczej nazwać fakt, że w jej łazience nadal można znaleźć pokruszone cienie do powiek, które kupiła w Libii w 1982 roku? Że poza dwoma garnkami Zeptera ma głównie te emaliowane z widoczkiem wsi, które pamiętają czasy mleka w szklanych butelkach? Przypalone potwornie, z pewnością wydzielają masę związków powodujących wszystkie choroby świata, ale za to ładnie się prezentują obok trzech dwudziestoletnich patelni po babci. Mikser za to pamięta czasy, kiedy w Polsce skończył się komunizm. Na ostatnie święta dostała nowy, ale jak ostatnio robiłam u niej zupę krem, okazało się, że nadal mieszka w pudełku. Mikser, nie Matka, rzecz jasna. Zapomniała, że taki ma. Po prostu. Ubrania z metkami, które wyszły z mody, ale wrócą, w rozmiarach przeróżnych, nie rozpakowane prezenty w torebkach z logo perfumerii, szampon z salonu fryzjerskiego na specjalne okazje, szminka od Diora z Baltony — prezent od narzeczonego z roku 1996, a także przeróżne miski, patery i talerze na lepsze okazje, schowane razem z nowymi sztućcami, ale na co dzień nie używane.

Bo stare są jeszcze dobre.

Szczerze mówiąc, to najgłupsze zdanie, jakie znam.

Coś jest jeszcze dobre — czyli co?

Nie zasługujemy na lepsze?

Co to znaczy „jeszcze dobre"?

Do zacerowania, odczyszczenia, jako tako trzymające się kupy?

W końcu gdyby wszyscy tak myśleli, mieszkalibyśmy nadal w jaskiniach, żywiąc się surowym mięsem, które przecież nie jest złe. Taki tatar czy sushi na przykład. Dlaczego nawet jeżeli nas stać (Moja Matka), odmawiamy sobie rzeczy lepszych niż „jeszcze dobrych"?

Ja wiem, że my to wszystko wynosimy z domów. Nie było, więc teraz nadal się martwię, że nie będzie. Tyle że nie umiemy znaleźć tej cienkiej granicy między rozsądkiem a rozrzutnością.

U mnie w domu też nie było. Bywało od święta. W lodówce jakiś serek, a pomidory tylko w sezonie. Ogrzewania brak, więc ubrania schły, a właściwie nie schły w nieskończoność, nosząc w sobie niespieralny zapaszek zgnilizny. W ogóle z praniem miałyśmy niezłe przejścia.

Owszem, pralka była, przeprowadzana z cztery razy, co ją nieźle nadwerężyło. Żeby więc cokolwiek wyprać, trzeba było trzymać drzwiczki, bo otwierały się przy wirowaniu. Było to trudne, bo przy okazji pralka zawsze wylewała, a wskutek przebicia prąd strzelał niemiłosiernie. Stawało się więc na krześle i drewnianym patykiem trzymało drzwiczki. Bezcenne. Swoją drogą, zaczynam rozumieć mój zmysł MacGyvera w życiu codziennym. Niezła szkoła przetrwania.

To wszystko sprawiło, że stałam się praniową fetyszystką. Czczę moją pralkę i moją suszarkę. Naprawdę. Mam zawsze kilka płynów zmiękczających o różnych zapachach, w zależności od nastroju. Ba! Zanim kupiłam suszarkę elektryczną, potrafiłam rozwieszać pranie kolorami. I patrzeć, i wdychać, i wzdychać.

Poza tym, naoglądawszy się zawartości szafy Mojej Matki, dosyć wcześnie podjęłam decyzję o natychmiastowym oddawaniu rzeczy, których nie noszę. Co pół roku zapraszam rodzinę i przyjaciółki i oddaję.

Kremów nie kupuję, bo i tak nie używam, więc po co mają leżeć przeterminowane i zagracać.

Ale co najważniejsze, kiedy zamawiam danie w restauracji, zaczynam od tego, co najbardziej lubię. Zauważyłam, że po tym można poznać stosunek człowieka do samego siebie. Kiedyś zawsze napychałam się pieczywem i sałatką, zanim doszłam do krewetek. Całkiem bez sensu, bo ani za pieczywem, ani za sałatką nie przepadam.

Dlaczego najlepsze zawsze mamy zachowywać na koniec? To przecież zupełnie niedorzeczne.

Doszłam więc do wniosku, że owszem, ważne jest, co wynosimy z domu, ale ważniejsze jest jednak, co z tym później zrobimy. I to zależy wyłącznie od nas samych.

Bo może powinniśmy codziennie robić sobie święto? Z okazji poniedziałku, śniegu, dobrego lub złego dnia w pracy. Wyjmować najlepszą zastawę, zakładać ubrania na specjalne okazje, zanim wyjdą z mody lub zostaną zjedzone przez mole. Nakremowane i umalowane kosmetykami z aktualną datą ważności usiąść do posiłku. Nie musi być kawior, bo nawet z kanapeczek z serkiem można zrobić sobie święto. Bo jak mamy oczekiwać, że będziemy ważni dla innych, jeśli dla siebie jesteśmy tylko „jeszcze dobrzy"?

A Moja Matka w czarnych legginsach wygląda rzeczywiście zabójczo. Wpadła głównie po to, żebym ją umalowała przed imprezą. Zachwyciła się moimi cieniami do powiek, a gdy powiedziałam, że dostała ode mnie identyczne na zeszłe urodziny, zrobiła zdziwioną minę.

Następnego dnia zadzwoniła, że je znalazła, ale nie umie ich otworzyć. Ma jeszcze dwa lata, bo wtedy kończy się ich data ważności. Może jej się uda.

Tymczasem z przyjaciółmi można spożywać w najprawdziwszej stołówce...

a nawet zakopać się na bezdrożu. Bezcenne!

Październik

Poza tym ze znajomymi zbiera się grzyby, a z przyjaciółmi GRZYBY.

Moja znajoma

Kasia

Właśnie wczoraj rano moja znajoma opowiedziała mi, że jej bliskiej znajomej zdechł pies. Ukochany, piękny wilczur, trzynastoletni, i to nie taki normalny wilczur, tylko z długim włosem. Kochała go nad życie. I ta jej znajoma obdzwoniła wszystkie przychodnie weterynaryjne, bo nie wiedziała, co zrobić z tym biednym psem, a właściwie z jego ofutrzonym ciałem.

Ale nikt nie proponuje usług pogrzebowych dla psów, była więc zdesperowana, bo przecież nie sposób własnego psa wywalić do kosza na śmieci. Wreszcie na SGGW się zlitowali i powiedzieli, żeby go przywiozła, utylizują odpadki, więc mogą zutylizować jej psa w ramach wyjątku.

I ona wsadziła tego psa w walizkę i udała się do metra, a mieszka przy stacji Służew nad Dolinką. I już myślała, że nie doczłapie, bo waliza była ciężka — jak jej pies — aż znalazł się młody mężczyzna, który podszedł (tak!) i zapytał (właśnie tak!), czy jej nie pomóc (a jednak się zdarza!).

A ona odpowiedziała, że chętnie, i on pomógł jej zatachać tę walizkę do metra i bardzo miło rozmawiali. On pytał, co ona tam ma, mówił, że kobieta nie powinna nosić takich ciężkich rzeczy, a ona, że wieżę spakowała, bo się przeprowadza, a na taksówkę jej nie stać — bo co miała powiedzieć?

I tak miło przejechali razem ze dwie stacje, aż tu przy Telewizji Polskiej, kiedy już prawie drzwi się zamykały, chłopak chwycił walizę i wyskoczył. Metro ruszyło, ludzie poruszeni, ktoś chciał chwycić za hamulec, a ona dostała ataku śmiechu.

Patrzyli na nią jak na idiotkę, a ona po prostu wyobraziła sobie, jak on z tą walizą będzie walczył, jak się chłopaczyna umęczy, a potem otworzy i...

To była bardzo pouczająca historia, a moja znajoma, która jest moją sąsiadką, zna tę dziewczynę od paru lat, bo razem studiowały psychologię.

Wiem, uważasz, że ludzie zmyślają takie rzeczy. Ja natomiast sądzę, że to smutna historia z optymistyczną puentą albo, jak kto woli, optymistyczna historia ze smutną puentą. W każdym razie jej żal z powodu utraty psa został na chwilę rozśmieszony do łez, a jeśli pominiemy fakt, że chłopak był złodziejaszkiem — to miłe, że jednak kogoś jeszcze coś obchodzi, na przykład samotna kobieta z ciężką walizką. A poza tym sąsiadka, która jest moją znajomą, lecz rzadko mnie odwiedza, właśnie przyszła, żeby się podzielić ze mną tą opowieścią, czym byłam szczerze wzruszona. Bo to miłe, jak się ludzie spotykają ot tak, od niechcenia.

No, może przesadziłam z tą pomocą, bo jednak chłopak był pomocnym złodziejem, a nie uczciwym pomocnym.

Wiem, uważasz, że to nieprawda, a priori. Mało tego, myślę, że podejrzewasz, iż nie mam tej sąsiadki, która mi to wszystko wczoraj opowiedziała, przechodząc przez furtkę od strony Zośki. Że nie mam nawet furtki. Mimo że mam.

Nie wiem, dlaczego nie masz zaufania do niesamowitych zdarzeń we wszechświecie!

Co prawda, kiedy dzisiaj opowiedziałam o tym Mani, to Mania powiedziała (a przecież mieszka w Wałbrzychu), że słyszała tę historię w wersji nieco zmienionej — że to była koleżanka jej znajomej, która razem z Elą studiowała polonistykę, i to wszystko wydarzyło się dwa miesiące temu w autobusie we Wrocławiu. I że specjalnie mi tego nie mówiła, bo wiedziała, że zrobię z igły widły, oraz że zawsze doszukuję się jakiegoś drugiego dna, a ludzie lubią zmyślać i powoływać się na swoją znajomą.

I wtedy zrozumiałam, że każdy ma „moją znajomą" czy „mojego znajomego". Moja znajoma raz jest niepozorna, a kiedy indziej wyjątkowo barwna, to jej zawsze przydarzają się niesamowite przygody. Moja znajoma (lub znajoma, siostra, kuzynka mojej znajomej) brała udział w większości miejskich legend. To mojej znajomej przydarzają się sytuacje, które być może przydarzyły się też mnie samej, ale jakoś głupio o tym mówić.

To moja znajoma chodzi na terapię czy ma problem z facetem. Zresztą moja znajoma podejrzewa, że facet ją zdradza. Dzięki zdarzeniom z życia mojej znajomej można udowodnić każdą tezę, jaka przyjdzie nam akurat do głowy. Moja znajoma zna wielu specjalistów, którzy mówią jej mądre rzeczy. Zna dobrą wróżkę i świetnego lekarza, jej znajoma wyleczyła się z raka lub poznała męża w Internecie.

„Moja znajoma" jest już po prostu instytucją.

Różnica między moją znajomą a moją przyjaciółką jest taka: moja przyjaciółka wierzy, że mam furtkę i mam sąsiadkę, i że ona do mnie przyszła. A nawet wierzy, że opowiedziała mi historię, którą ktoś jej opowiedział. Jakaś znajoma, że jej znajomej właśnie zdechł pies... Tylko nie wierzy w samą tę historię. Ja chyba też nie... Ot, życie... Czy ostatnio słyszałaś od swojej znajomej coś, czym chciałabyś się podzielić?

PS Ale wiesz co? To całe zdarzenie nie mogło dziać się we Wrocławiu, bo we Wrocławiu przecież nie ma metra! Musiało dziać się w Warszawie!

Nasza znajoma
Dorota

Oczywiście, że to się nie mogło zdarzyć we Wrocławiu!

A w Warszawie ani gdziekolwiek indziej też nie. Dlaczego? Przynajmniej z pięciu powodów. Po pierwsze, cmentarzy dla zwierząt jest kilkadziesiąt, w całej Polsce. W Warszawie, we Wrocławiu, w Poznaniu, gdzie tylko się chce. Po drugie, utylizacją martwych stworzeń zajmuje się szereg instytucji, wystarczy zadzwonić do straży miejskiej. Po trzecie, do SGGW jest spory kawał od metra, za to taksówka z Doliny Służewieckiej kosztowałaby z piętnaście złotych. Po czwarte, ona by tej walizki nawet z bloku nie wyniosła. Taki wilczur waży ze czterdzieści kilo. A po piąte, to w ogóle nie chodziło o psa, bo moi znajomi już opowiadali mi tę historię i ona przydarzyła się ich znajomym ze dwadzieścia pięć lat temu.

Otóż ci znajomi znajomych wykupili wczasy w Bułgarii. Mieli tam dojechać własnym samochodem marki Mercedes, który ich szwagier nabył okazyjnie w RFN i przekupiwszy celników oraz wszystkie macki władzy, jakie stały mu na drodze, zarejestrował w PRL. Samochód był dumą całej ulicy, a nawet osiedla, i poza wieloma niezaprzeczalnymi zaletami był też niezwykle pakowny. Znajomi więc bez problemu zdołali zmieścić w nim trochę bursztynów i kremy na handel oraz dwójkę dzieci i babcię, po czym ruszyli na wakacje. Niestety babcia starowinka postanowiła wyzionąć ducha ostatniego dnia niezwykle udanego, dzięki wymianie towaru na walutę, turnusu. Poznany na miejscu dyrektor rodzimego przedsiębiorstwa pogrzebowego, wprowadzony w szczegóły tragedii, doradził im, żeby broń Boże nie informowali władz o zgonie babci, bo to tylko problemy, robota papierkowa i straszne koszty transportu ciała, ale zapakowali się z powrotem do mercedesa i w razie czego utrzymywali, że babcia zmarła w drodze, a jeśli się uda, to najlepiej już w Polsce.

Znajomi znajomego zrobili dokładnie tak, jak nakazał dyrektor. Jednakże w drodze okazało się, że trzydziestostopniowa temperatura nie wpływa najlepiej na ziemskie wcielenie babci, a że dzieciom nie w smak było jechać obok trupa, który, delikatnie mówiąc, zaczynał wydzielać zapach, postanowili zapakować go do bagażnika. Na szczęście mijali akurat sklep spożywczy ze stoiskiem rybnym włącznie (dobrobyt), toteż bagażnik został szczelnie wypełniony napojami schłodzonymi oraz lodem, po czym umieszczono w nim również babcię. Mieli ją co prawda wyjąć przed granicą, tyle że się zagadali, ale na szczęście obyło się bez problemów. Już po polskiej stronie, mknąc w kierunku szpitala, względnie posterunku milicji, poczuli, że zgłodnieli. Pomyśleli, że przecież babci kolejne pół godziny nie zrobi różnicy i zatrzymali się w przydrożnym zajeździe na grochówkę oraz schabowego. Jakież było ich zdziwienie, gdy po wyjściu okazało się, że na parkingu nie ma ani samochodu, ani tym bardziej babci. Nie wiadomo tylko, jak duże było zdziwienie złodziei, kiedy odkryli zawartość bagażnika, bo znajomi znajomych nigdy nie zgłosili kradzieży, a babcia przez władze ludowe została uznana za emigrantkę, po której słuch zaginął — w końcu oficjalnie tylko raz przekroczyła granicę.

Jak więc widzisz, twoja znajoma sprzedała ci wyłącznie marne popłuczyny prawdziwej historii znajomych moich znajomych. Ale przyznam szczerze, że zupełnie nie pamiętam, kto i kiedy mi to opowiadał, choć przysięgam, że ktoś to był. Na szczęście istnieje instytucja mojej znajomej, a nawet jej znajomych.

A w historię też średnio wierzę, choć z pewnością musiała mieć jakiś początek, tak jak ziarnko prawdy, które kiełkuje w każdej plotce.

Nawet nie zdajemy sobie sprawy, jak często każdego dnia dajemy życie jakiejś nowej znajomej. Ja swojej używam zarówno wtedy, kiedy chcę coś uwiarygodnić, jak i wtedy, kiedy nie chce mi się tłumaczyć, kto, co i kiedy, bo to wstydliwe i niewygodne na przykład. Bo gdybym powiedziała „przyjaciółka", tobyś na pewno spytała która. A tak jedno słowo klucz sprawia, że jednocześnie czujemy się osadzeni, ale nie skupiamy się za bardzo na nieistotnych szczegółach.

Na przykład kuzynka Józka, tego z Zakopanego, o którym ci opowiadałam, miała anemię — lekarze byli bezradni, faszerowali ją lekami i nic. Więc kiedy Ewa jechała z Józkiem i jego rakiem do znachorki, która leczy ziołami w Warszawie, wzięła też wyniki badań tej kuzynki i szamanka przepisała jej takie zioła, że miesiąc później lekarze, badając ją (kuzynkę, nie znachorkę), nie wierzyli, że mogło jej się tak poprawić. Zgubiłaś się pewnie. Ale gdybym powiedziała: moja znajoma miała anemię i po ziołach od znachorki wyniki jej się tak poprawiły, że lekarze nie chcieli uwierzyć, to już zupełnie inna sprawa. Zapewne zapytałabyś mnie o namiary na tę znachorkę. W tym przypadku mogłam sobie pozwolić na „pożyczenie kuzynki" i przedstawianie jej jako swojej znajomej, gdyż na tyle dobrze znam Ewę i Józka, że absolutnie wierzę w ich historię. I ty, kiedy będziesz opowiadać komuś o tym przypadku, też z pewnością nie będziesz wchodzić w szczegóły, a kuzynka Józka stanie się twoją znajomą. Za kilka miesięcy być może wróci do nas ta opowieść z ust rodziny z Koszalina — polecą nam świetną znachorkę, do której ich znajoma poszła z anemią, i wyniki...

Czasami znajoma jest jednak kompletnie zmyślona. Pełni rolę ostatniej deski ratunku w dyskusji, w której nie mamy szans.

— A słyszałaś o jakimkolwiek facecie, który gotuje, zarabia, chętnie dyskutuje o uczuciach, kocha spacery, zajmuje się dziećmi i codziennie przynosi kwiaty? — grzmi twój partner (względnie partner znajomej).

— Oczywiście, że słyszałam — mówisz — na przykład mąż mojej znajomej!

Szybciutko sklecasz tę swoją znajomą ze strzępków prawdziwych przyjaciół i zdarzeń i już stoicie ramię w ramię po jednej stronie barykady, broniąc twoich wcale niewygórowanych oczekiwań.

Moja znajoma poleca też świetny krem, który, jak podsłuchałam, jedna pani w autobusie zachwalała drugiej. Albo może to było w reklamie, ale moja znajoma jest bardziej wiarygodna niż wszystkie reklamy razem wzięte. I to moja znajoma, a nie przyjaciółka Marta, podejrzewała męża o zdradę i odkryła go z ukraińską gosposią w kotłowni. Kotłujących się zresztą. To córka mojej znajomej, a nie mój Syn, złapała wraz z całą klasą wszy (fatalna ta szkoła córki mojej znajomej). Dzięki mojej znajomej posiadam wszechstronną wiedzę i zawsze mogę coś ciekawego wtrącić do rozmowy. Uwielbiam ją, nawet jeśli zostawiła męża i dzieci i wyjechała z artystą cyrkowym, by służyć jako przykład, że nie tylko facet może porzucić rodzinę.

Dlatego też nie do końca się zgadzam z tym, co napisałaś. Moja znajoma niczym nie różni się od przyjaciółki. Powiem więcej, najczęściej moja znajoma jest nie tylko przyjaciółką, koleżanką czy zlepkiem ciotki, babci i kuzynki. Ona jest *mną* i *tobą*. Bo w gruncie rzeczy to nam przydarzają się najbardziej niesamowite historie. Ale nikt by w nie nie uwierzył, gdyby dotyczyły nas. Tymczasem jeśli w grę wchodzi nasza znajoma, to w razie czego jest nas dwie na świadków...

PS A jeśli pytasz o historię... Znajoma znajomych jechała po ostatnich wichurach przez las. Zatrzymała się i wysiadła, żeby usunąć gałąź ze środka drogi. Nagle patrzy, a za nią jakaś ciężarówka miga światłami i trąbi. Bardzo się przestraszyła, wsiadła do samochodu i zaczęła uciekać. Ciężarówka za nią. Znajoma przerażona. Na szczęście kilka kilometrów dalej była stacja benzynowa. Znajoma znajomych wysiadła i biegnie do budynku, kierowca ciężarówki za nią. Dogonił ją w końcu, ona wrzeszczy jak opętana, a on mówi:

— Pani, ja tylko chciałem powiedzieć, że jak pani tę gałąź usuwała, to ktoś pani do samochodu wszedł.

Znajoma mało nie zemdlała. Po chwili wspólnie z kasjerem obejrzeli nagrania z monitoringu stacji — i rzeczywiście, z jej samochodu ktoś wybiegł, jak tylko weszła do budynku... I z tym cię zostawiam. Miłej nocy.

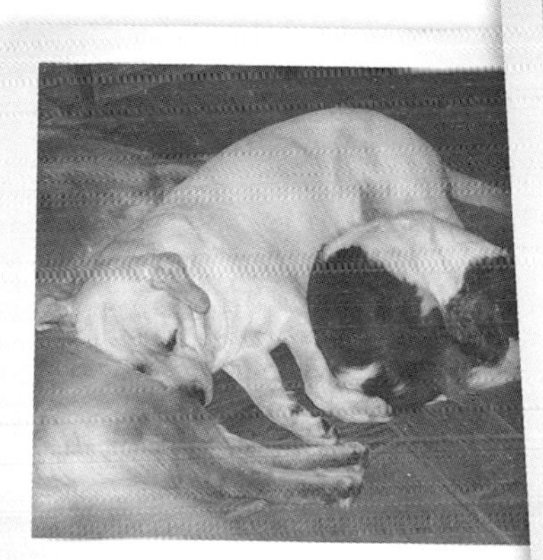

Trzy psy piątego dnia

Bartok i fotel do masażu

Listopad

Jaka Brema, tacy muzykanci

Bartok i uzależnienie od telewizji

Taka niepodobna

Dorota

M. miała 178 centymetrów wzrostu, kręcone włosy, rodziców, którzy zamiast wziąć rozwód, kochali się szaleńczo od czasów liceum, dwóch braci — „prawdziwych", a nie przyrodnich, jak ja, ubrania z Cottonfieldu, a w dodatku była moją przyjaciółką od siódmej klasy podstawówki. Przez dwa lata pisałyśmy klasówki z fizyki, podpisując się: ja — jako ona, ona — jako ja, dzięki czemu udało nam się przechytrzyć podział klasy na grupy jako sposób na ściąganie i zakończyć podstawówkę z czwórkami na świadectwie. Tak samo było z historią, której uczyłyśmy się dwa razy do roku, przez całą noc, wypijając po dwa litry kawy, czym chwaliłyśmy się następnych kilka tygodni. Inne noce spędzałyśmy, z wypiekami na twarzy analizując nasze niespełnione miłości i snując plany, jak je spełnić. Potem poszłyśmy do różnych liceów i na kilka lat straciłyśmy kontakt.

Zobaczyłam ją przypadkiem na ulicy. To znaczy nie ją, ale jedną z tych niesamowicie pięknych wysokich dziewczyn, na których widok zwykle myślę: „Pewnie ma cellulit" lub „Eee, na pewno jest strasznie głupia".

Ale to była M., zorientowałam się chwilę później, gdy rzuciła mi się na szyję. No i znowu było jak dawniej. Zaczęłyśmy razem pracować, kupiłam mieszkanie blisko niej, a najlepsze w tym wszystkim było to, że M. w środku w ogóle się nie zmieniła. Nadal była najlepszą osobą, jaką znałam. Taką, która nie zazdrości, ale naprawdę potrafi cieszyć się z sukcesów i szczęścia innych — niby banał, a tak naprawdę cecha zupełnie nie spotykana. We wszystkich moich dorosłych zawirowaniach była zawsze blisko. Pamiętam, jak zadzwoniłam do niej o trzeciej nad ranem, że nie wytrzymuję z powodu bólu zęba, a ona dziesięć minut później stała u mnie w drzwiach, w pidżamie, żeby zostać z moim dzieckiem, kiedy pojadę na ostry dyżur. Wiedziałam, że zawsze mogę na nią liczyć. A potem coś się zaczęło psuć. Albo może nie psuć, ale rozluźniać. Moje kolejne mieszkanie było już w innej dzielnicy, obie miałyśmy Narzeczonych, inną pracę. Ona była ciągle zajęta. W końcu widywałam się z nią tak rzadko, że mój Narzeczony zapomniał ją zaprosić na moje urodzinowe przyjęcie niespodziankę. Niestety, zadzwoniła z życzeniami w trakcie toastów, po czym obraziła się śmiertelnie. Przez kolejne dwa lata usiłowałam ją bezskutecznie przeprosić. Oczywiście najprościej byłoby postawić grubą kreskę, ale miałam poczucie, że łączy nas tyle lat w jakimś sensie „wspólnego" życia i nie potrafię.

Tęskniłam.

Zupełnie niespodziewanie nasza wspólna znajoma, zaproszona do mnie na kolację, oświadczyła mi, że przyjdzie z M., bo może już czas skończyć tę farsę.

Ugotowałam pyszną zupę dyniową z mleczkiem kokosowym i zrobiłam sałatkę. Przy tej drugiej omal nie wyzionęłam ducha, ucząc się, że ocet balsamiczny w promocyjnej cenie sześć pięćdziesiąt za butelkę zupełnie nie nadaje się do spożycia, może zabić swą wonią, a po dodaniu cukru tworzy gęstą maź przyklejającą się do wszystkiego.

Jednakże, mając wysokie mniemanie o swoich zdolnościach kulinarnych, uznałam to za zabawne wydarzenie, obkleiłam sosem warzywa — i czekałam, szczęśliwa, aczkolwiek zdenerwowana.

Nie liczyłam na to, że padniemy sobie w ramiona, ale że będzie... jakoś.

Okazało się, że M. nie znosi mleczka kokosowego. Wielkodusznie powstrzymała się jednak od wyplucia pierwszej łyżki i odstawiła zupę.

Sałatka, mimo mojej opowieści na temat morderczych zapędów *aceto balsamico*, była lustrowana przez piętnaście minut, rozgrzebywana i komentowana, że się klei. Ale rzeczywiście się kleiła.

Komplement na temat domu, pierwszy raz widzianego przez M., brzmiał:

— Jezu, ile ty masz toalet!

— Mam — odpowiedziałam grzecznie.

Ponieważ widziałyśmy się jakieś czternaście kilogramów temu, M. zauważyła też:

— Chyba wcześniej to ci się nigdy nie udało tak schudnąć?

A kiedy postanowiłam się pochwalić moim trzydziestometrowym, wychuchanym ogródkiem, dowiedziałam się:

— Ha, ha, ogród! Ha, ha.

Pomiędzy tą, jakże miłą, wymianą grzeczności kurtuazyjnie wymieniłyśmy się także informacjami, co słychać.

Tak jakbyśmy były dalekimi znajomymi, które widzą się raz na jakiś czas, żyjąc spokojnie każda swym życiem.

Dziewczyny posiedziały cztery godziny i poszły.

Miło, ale dziwnie, pomyślałam.

Dopiero następnego dnia dotarło do mnie, co się tak naprawdę zdarzyło i że nie przywykłam, żeby ktoś, kto przychodzi na kolację, bez kwiatka, wina, czekoladek, zachowywał się wobec mnie w ten sposób.

Być może było mi to potrzebne, żeby nie tęsknić i nie zarzucać sobie zaniedbania, ale też uświadomiłam sobie, że gdybym poznała M. teraz, zupełnie nie byłaby to osoba, z którą miałabym ochotę się zaprzyjaźnić.

I może w ogóle tak jest, że niektóre znajomości czy przyjaźnie trwają tylko przez zasiedzenie, jak większość związków, o które nikt już nie dba.

Ale z drugiej strony pamiętam, jak Moja Matka wróciła kiedyś do domu z połową swojej klasy, mówiąc mi, że przypadkiem spotkała ich na ulicy. Uwierzyłam.

Oczywiście nie zdawałam sobie wtedy do końca sprawy z tego, że po pierwsze, Moja Matka kiedykolwiek chodziła do szkoły, po drugie, nie było to wcale dawno temu.

Jednakowoż jeden ze znajomych Matki, miły pan w krawacie — niejaki Jacuś, który tamtego wieczoru czytał mi bajki, bo wcale nie chciałam spać, kilka miesięcy później uratował życie Mojej Matce, a kilkanaście lat później wyjął mi z brzucha Syna za pomocą cesarskiego cięcia.

A kiedy do Mojej Matki przychodzi Ewa, koleżanka z liceum — wybitna prawniczka — to zachowują się jak nienormalne, doprowadzając się do takich ataków śmiechu, że co chwila jedna z nich zatyka uszy i krzyczy:

— Lalalalalala, nie słucham cię, nie słucham cię!

Bo w przeciwnym razie mogłyby się udusić.

Tyle że ja nie mam potrzeby spotkania się z przyjaciółką z podstawówki odnalezioną przez

Naszą Klasę, tą samą, z którą dzieliłam ławkę przez sześć lat piętnaście lat temu, i przeraża mnie, że pewnie jestem już taka stara jak ona na zdjęciach. Taka „proszę pani".

A może po prostu się boję, że każda przyjaźń jest tylko na jakiś czas, okoliczności, sytuację, i jeżeli nie są one tak mocne, żeby nas zespolić na dłużej, to prędzej czy później i tak to się skończy...

W końcu wszyscy się zmieniamy, mam tylko nadzieję, że nie aż tak, żeby nie było w nas już nic, co mógłby polubić przyjaciel z podwórka. Z roku 1987.

On jest do siebie podobny

Kasia

Nigdy mnie nie przerażała myśl, że mogę wyglądać na „taką starą", no, może na tym pierwszym spotkaniu klasowym, kiedy miałam trzydziestkę na karku. Potem strach mija, chociaż już na dwudziestolecie matury stukaliśmy się pod stołem, zadając gorączkowe pytania:

— A ten, który idzie z tym łysym, to kto to?

I panika:

— Nie mam pojęcia!

— Może Andrzej?!

— Nie, nie Andrzej, Andrzeja widziałam, zupełnie jest do siebie podobny!

I kiedy okazywało się, że panowie nie maszerują do naszego „klasowego" stolika, oddychaliśmy z ulgą:

— Mówiłam ci, że to nie on!

Ale prawdą jest, że po pierwszym naszym spotkaniu klasowym trzynaście osób wylądowało u mnie, w mieszkanku w bloku, z jakimś kupionym w nocnym sklepie (nie było hipermarketów) kiepskim winem, a ja z resztek chleba z keczupem zrobiłam (nie było czipsów) znakomite zakąski.

I prawdą jest również, że Moja Córka wymagała akurat tego wieczoru, żeby jej czytać do północy, i robili to moi koledzy z klasy po kolei, lekarz, tłumacz, specjalista od handlu zbożem oraz jeden, który nawet znał japoński, zachwyceni maleńką dziewczynką (sami jeszcze nie mieli dzieci).

Spotkanie klasowe zaowocowało uratowaniem mi życia za trzy miesiące, odgrzaniem niektórych znajomości i utrzymaniem niektórych przyjaźni do dzisiaj. Jakież to musiało być spotkanie, skoro minęło z górą dwadzieścia lat, a moja nieletnia wtedy Córka do dzisiaj je pamięta!

Hoduję pamięć pieczołowicie i, jak myślałam, obiektywnie pięknie. Z prawniczką trudno się porozumieć, bo tak bardzo nas wszystko śmieszy, kiedy się spotkamy, że trzeba uważać na klientów w jej poczekalni.

I niektórzy obcy ludzie są doprawdy oburzeni, kiedy mówi:

— Co prawda jest między nami dziesięć lat różnicy, ale przyjaciółka wygląda nieźle, prawda?

Albo kiedy mówię ja:

— Weź ten fioletowy sweter, przypomina odcieniem twoją cerę.

Nauczycielka niemieckiego do dziś mi przypomina, jak na klasówce z chemii narysowałam wzór chyba benzenu, doprawiłam warkoczyki i podpisałam — Benzenek. W odpowiedzi dostałam dwóję (wtedy najniższy stopień) z narysowanym dzióbkiem i skrzydełkami, z podpisem nauczycielki — Kaczuszka.

Lekarz — w szpitalu nie chce mnie widzieć, bo mówi, że podważam jego autorytet, opowiadając, że na matematyce grał w bridża, a moja przyjaciółka Agnieszka, która rozstawała się ze szkołą z prawdziwą radością („Nigdy więcej tam nie pójdę!"), została dyrektorką i chodzić do szkoły nadal musi, z tym że już dzisiaj do bardzo dobrej. I tak dalej, i tak dalej. Mało tego, w sprawie szkoły dla mojego Wnuczka, a synka Mojej Córki, to ona była autorytetem.

Jakoś wiemy, że w dorosłym życiu możemy na siebie liczyć, czasem się spotykamy, czasem od siebie coś chcemy, czasem sobie pomagamy, a czasem tylko spędzamy fantastycznie czas, śmiejąc się z nas przeszłych i teraźniejszych również.

I na pewno nigdy w życiu nie spotkałoby mnie nic takiego jak Moją Córkę...

I nagle sobie przypomniałam, jak parę miesięcy temu wpadła na mnie kobieta, chwyciła za rękę, trochę się cofnęłam, a ona przyciągnęła mnie do siebie.

— Cześć, Kaśka! — powiedziała dość miło, ale już z dystansem.

— My się znamy? — zapytałam ostrożnie, bo pamięć detalicznie mnie zawiodła.

— No co ty, koleżanek z naszej klasy nie poznajesz! — powiedziała z naganą Ruda, a ja się rozjaśniłam nadmiernie (ze wstydu, że pamięć nie taka) i krzyknęłam radośnie:

— Witaj! Co u ciebie? Jak się cieszę, że się spotkałyśmy!

Rudą należało natychmiast rozmasować. Jak jej mogłam nie poznać? No jak? Przegadałyśmy kwadrans na rogu Jerozolimskich i Emilii Plater, a ja nadal sobie nie mogłam przypomnieć ani imienia, ani nazwiska. Im więcej czasu mijało, tym bardziej nie wypadało zapytać: a właściwie, przepraszam, jak masz na imię? Szczególnie po tym niefortunnym pierwszym pytaniu, czy się znamy.

Nienauczalna jestem. Już kiedyś spędziłam trzy godziny na rozmowie z bardzo przyjemną dziewczyną, która rzuciła się mi w objęcia na Starym Mieście w tłumie ludzi, po mszy papieskiej, i do dzisiaj nie wiem, kto to był. Obiecałam sobie święcie, że już nigdy, przenigdy...

Ale nigdy przenigdy jest, jak wiadomo, krótkie, bez względu na to, czy ktoś nam obiecuje, że nigdy przenigdy nas nie opuści, czy my sobie coś przyrzekamy.

Ruda stała przede mną na ulicy, minus dwa, wiatr, i czekała na mój entuzjazm. No owszem, ustaliłyśmy jakieś nauczycielki, jakichś znajomych, ale coś ta rozmowa kulała.

— A co słychać u Beaty? — zapytała.

Nie chciałam się wydać niegrzeczna, a z Beatą się przyjaźnię, więc odetchnęłam z ulgą, wzięłam głęboki oddech i długo opowiadałam, że wyjechała do Niemiec, urodziła tam dwoje dzieci, teraz wróciła. Ruda wydawała się średnio zainteresowana. Ale kiedy zapytałam, co u Jarka, zrobiła wielkie oczy i zapytała:

— A skąd mam wiedzieć?

Po pięciu minutach czułam się, jakbym przewaliła tonę węgla. Po kwadransie zrobiło mi się gorąco, mimo że było zimno jak piorun i nogi mi wmarzały w ziemię.

— Muszę lecieć — powiedziała w końcu Ruda, a ja z trudem ukryłam radość.

Wróciłam do domu zniesmaczona sobą.

Starzeniem się.

Brakiem pamięci.

Przecież ich wszystkich znam i lubię. Jak mogę nie pamiętać Rudej? Może nie była wtedy ruda? Może to Anka spod okna, której nie widziałam od trzydziestu lat? Albo ta z trzeciej ławki... Jak ona miała na imię? Ruda z naszej klasy? Co się ze mną dzieje?

Zadzwoniłam do prawniczki.

— Spotkałam Rudą i jej nie poznałam, wyobrażasz sobie?

— Jaką rudą?

— No właśnie nie wiem, taką niewysoką. Z naszej klasy.

— U nas nie były rudej.

— Ruda to ona jest dziś!

— A wtedy?

— Nie mam pojęcia!

— No to skąd ja mam wiedzieć, kogo spotkałaś?

Zadzwoniłam do nauczycielki.

— Beatka, spotkałam Rudą, pytała o ciebie.

— Jaką rudą?

— No, z naszej klasy.

— Bożenę? Bożena nie jest ruda!

— Nie, Bożenę bym poznała.

— A kogo nie poznałaś?

— No właśnie nie wiem!

— To ja mam wiedzieć? — zdziwiła się Beata.

Zadzwoniłam do dyrektorki.

— Była u nas w klasie taka ruda?

— Jasne — powiedziała A. — Uczyła nas biologii. Ale ona odeszła po drugiej klasie.

— Nie, nie nauczycielka.

— A jak ma na imię?

— No właśnie, nic mam pojęcia!

— Aha — powiedziała A. i dodała: — Ja też nie wszystko pamiętam. — Albowiem ma anielski charakter.

Męczyło mnie to bardzo do zeszłego wtorku, kiedy spotkałam Marylę, w teatrze. Z mężem i dużym zdjęciem psa w telefonie.

— Słyszałam, że ci się w głowie przewróciło — uściskała mnie Maryla. — Że chodzisz po ulicy i ludzi już nie poznajesz, bo sodówka uderzyła — śmiała się serdecznie. — I że lepiej wyglądasz na zdjęciach! Ale ty się nic nie zmieniłaś! Iwona mi powiedziała, że wpadła na ciebie, a ty ją z góry!

Jaka Iwona? Akurat Iwony w naszej klasie nie było, na pewno. Ale czy ja mogę być czegoś pewna?

— Z naszej klasy? — upewniłam się.

— No co ty, w naszej klasie nie było żadnej Iwony, nie pamiętasz? — Maryla się roześmiała. — Chyba z portalu Nasza Klasa. Ta Iwona do naszej szkoły chodziła, była dwa lata od nas młodsza, jej brat się przyjaźnił z Jackiem, pamiętasz? Taka ruda…

Odetchnęłam z ulgą. Iwony to ja w ogóle nie znam! I w dodatku wcale mnie nie ma na Naszej Klasie!

A moje właściwe koleżanki i kolegów z mojej klasy miło wspominam i lubię.

A z niektórymi się przyjaźnię.

Wszyscy się zmieniamy, ale to też jest fajne…

Podobno inteligencja to umiejętność odnalezienia się w każdej sytuacji. Ja i chochoł. Ja z prawej - D.

Urodziny Miniusia (z prawej Syn pomaga zdmuchnąć świeczki)

Grudzień

Moje włosy, moja gwiazdka - K.

Efekty dorocznego, kolektywnego pieczenia. Wesołych Świąt!

Kiedy zaczynają się święta

Dorota

Trzy tygodnie temu — niedzielny listopadowy wieczór. Syn śpi, Narzeczony komponuje, ja wycieram jeszcze blaty i chowam brudne naczynia do zmywarki. Kanapa zerka na mnie zalotnie, a jako że nie jestem nieczuła na jej urok, po chwili sadowię się wygodnie i włączam telewizor. Jakież jest moje zdziwienie…

Jeszcze stearyna nie zdążyła dobrze zastygnąć na ściankach pierwszolistopadowych zniczy, a już Mikołaj z telewizora zachęca mnie do kupna świątecznego pakietu telewizji N. Nie zaskakuje mnie sam widok pięknie ubranej choinki w połączeniu z pluchą za oknem, ale jak to możliwe, że komukolwiek udało się wyprzedzić Coca-Colę? Do tej pory to ich roziskrzone wozy, mknące przez ośnieżone drogi i dróżki, przywoziły nam święta w środku jesieni. To tak, jakby w wigilijny wieczór zabrakło nagle *Kevina samego w domu*, puszczanego przez telewizję Polsat gdzieś około dwudziestej. Cóż, czasy się zmieniają, pomyślałam. Za moich czasów (cokolwiek to znaczy, ale chyba chodzi o okres, który akurat mamy na myśli), więc za moich czasów, czyli dajmy na to w przedziale 1985–1995, Boże Narodzenie zaczynało się w Wigilię rano. Dopiero wtedy można było ubrać choinkę, która od kilku dni stała spokojnie na balkonie, otoczona garnkami z barszczem, bezmięsnym bigosem i warzywami pokrojonymi na sałatkę. Owszem, już jakiś tydzień wcześniej w mieszkaniu unosiły się przyjemne zapachy, ale one były tylko zapowiedzią, obietnicą tego dnia.

W końcu nadchodziła Wigilia.

Zaraz po przebudzeniu z wielkim pietyzmem przebijałam ostatnie okienko kalendarza adwentowego przywiezionego przez Ojca ze Szwajcarii — i jadłam tę czekoladkę. Była największa i najpiękniejsza ze wszystkich i mogę przysiąc, że najlepiej smakowała. Chwilę później ruszałam szturmem na sypialnię Mamy. Kiedy w końcu udawało mi się ją ściągnąć z łóżka, wyjmowała z pawlacza zakurzone pudełko pełne wyszczerbionych bombek, kolorowych łańcuchów i innych wytworów z papieru. Najpierw godzinę zajmowało nam odplątanie wszystkiego z plastikowych anielskich włosów, pożółkłych już nieco, ale jako towar deficytowy — bezcennych.

Potem rozpoczynałyśmy poszukiwanie stojaka, który rokrocznie zapodziewał się gdzieś, by odnaleźć się zwykle na balkonie.

Te poranki były dla mnie zwieńczeniem całorocznego oczekiwania na Gwiazdkę. Czekania, które już od początku grudnia objawiało się przyjemnym ciepłem w okolicach żołądka na każde wspomnienie choinki i prezentów. Bo za moich czasów celebrowało się oczekiwanie na święta. Pamiętam roraty o szóstej rano, śnieg skrzypiący pod nogami, ciemne niebo, kontrastujące białe wierzchołki drzew i skupienie, w jakim maszerowałam do kościoła, pilnując, żeby gorący wosk ze świecy nie kapał mi na ręce.

Pamiętam, jak co roku szukałam w domu prezentów pochowanych przez Mamę, bo przecież „Święty Mikołaj nie istnieje", i straszliwe rozczarowanie, kiedy raz je znalazłam, bo „jak to, on naprawdę nie istnieje?". Były ukryte w tapczanie — cały zestaw koszmarnych pacynek wciąganych na rękę, którymi można było robić teatr. To były jedne z najgorszych świąt w moim życiu i od tamtej pory nigdy nie niszczę szykowanych dla mnie niespodzianek.

Pamiętam, jak w te same święta Prababcia wpadła na genialny pomysł obdarowania dzieci rózgami z rattanowych gałązek, co spotkało się z wybuchem histerii mojej młodszej kuzynki i stanem przedzawałowym Prababci. Pamiętam, jak usilnie przekonywałam potem kuzynkę (lat cztery), że nic się nie stało, bo Mikołaj przecież nie istnieje, i niezrozumiałe, karcące spojrzenia wszystkich ciotek.

Zresztą od momentu odkrycia tego faktu postawiłam sobie za cel uświadomić wszystkie dzieci i zapoznać je ze straszną prawdą, co prowadziło do niezręcznych sytuacji. Szczególnie kiedy usiłowałam je konfrontować z Moją Matką, mówiąc: „Prawda, że Święty Mikołaj nie istnieje?".

Pamiętam zapach pierników pieczonych na choinkę — trzeba było czekać, aż stwardnieją i będzie je można ozdobić ukręconym przez Babcię lukrem. Trzeba było tylko jak najszybciej zrobić w nich dziurkę — potem było to niemal niemożliwe. Pamiętam wigilijną dobranockę — była dłuższa i ta sama co roku. Taka staromodna wersja *Toy Story*, z ożywającymi zabawkami. Pamiętam sto tysięcy złotych, które zebrałam, żeby kupić swoje pierwsze prezenty dla innych — starczyło na dwa zestawy mydeł Fa w czterech kolorach, dezodorant Bac, skarpetki i perfumy Być Może. Pamiętam karpie pływające w wannie i przerażenie Mamy, kiedy nadałam im imiona. Pamiętam całą rodzinę — jakieś dwadzieścia pięć osób — przy stole w czterdziestopięciometrowym mieszkaniu Babci. Nie wiem, jakim cudem się mieściliśmy i co Babcia robiła ze stołem, że zyskiwał tak monstrualne rozmiary. Pamiętam pasterki, na których panowała niesamowita atmosfera, i dumę, z jaką potem opowiadałam, że nie spałam o dwunastej w nocy. Pamiętam, jak wyprowadzałam cioteczne rodzeństwo do kuchni, jako ta „uświadomiona", żeby obserwować, czy na niebie nie widać sań Mikołaja, a w tym czasie rodzina gorączkowo układała pakunki pod choinką.

Pamiętam, jak Babci łamał się głos, kiedy kolejne wnuki czytały fragmenty Biblii. Pamiętam szkliste oczy cioci i wujka, kiedy co roku łamali się opłatkiem. Kompletnie nie rozumiałam dlaczego.

Czasem się zastanawiam, czy to dobrze, że to wszystko pamiętam.

Bo czy nie łatwiej byłoby mi zaakceptować fakt, że święta trwają od listopada? Że oczekiwanie na Wigilię zostało sprowadzone do czasu trwania promocji w sklepach RTV-AGD? Pamiętam, jak w zeszłym roku złamałam swoją zasadę „prezenty pod choinkę kupujemy wyłącznie przez Internet" i udałam się do centrum handlowego. Był trzeci grudnia. Sklepy przystrojone, choinki skrzą się światełkami, hostessy w strojach elfów rozdają ulotki promocyjne, z głośnika leci *I'm Dreaming of a White Christmas*. Kiedy zapytałam jedną ze sprzedawczyń, jak znosi te przedłużone święta, odpowiedziała krótko:

— Nie znoszę.

Przypomniałam sobie wtedy, jak kilka lat temu robiłam świąteczny teledysk charytatywny dla Formacji Nieżywych Schabuff.

Plan zdjęciowy z Wigilią mieliśmy jakoś na początku grudnia. Bawiliśmy się doskonale, dekorując dom, nakrywając do stołu, wieszając bombki — a po wszystkim naszło nas dziwne uczucie.

Jest po świętach.

I teraz odkrywam, że zaczynam się tak czuć już w połowie listopada.

I nie zgadzam się!

Ani na to, żeby to telewizyjny najazd kolorowych wozów Coca-Coli wyznaczał początek świąt, ani na listopadowe dekoracje z igliwia, na śpiewne *Bóg się rodzi*, zanim się narodzi, i życzenia w esemesach wysyłane tydzień wcześniej — bo potem w ferworze...

I owszem, da się.

W tym roku choinkę znowu ubierzemy rano w Wigilię, krzątając się w piżamach do południa. Tych, którym chcę życzyć, obdzwonię albo odwiedzę. Gdzieś w połowie grudnia urządzę, jak co roku, wspólne pieczenie ciasteczek ze wszystkimi przyjaciółmi i ich dziećmi. I potem znowu będę sprzątać dwa dni, ale będzie warto. Bo święta trwają trzy dni.

Wcześniej co najwyżej możemy celebrować oczekiwanie. Ale czy to w końcu nie jest najprzyjemniejsze?

Święta

Kasia

Ach, to tak?

Doczekałam się jednak nagrody za nieubieranie choinki tydzień wcześniej, za chowanie prezentów do tapczanu, za robienie śladów butów na dywanie (jak był śnieg, to śniegiem, jak nie było, błotem)?

Święta Mojej Córki od trzydziestu lat są moimi świętami. Jakie to szczęście, że pamiętamy to samo i że kapitalistyczna wolność oraz wozy z trunkami uzależniającymi nie są wyznacznikiem świąt również dla niej.

Ale to mi zepsuło całą koncepcję tekstu o świętach.

Bo myślałam, że oto pokoleniowe różnice wyjdą na wierzch, że zderzy się moja przeszła tęsknota za coca-colą (ach, mojej koleżance z klasy ojciec w tajemnicy przeszmuglował z Ameryki cztery puszki, dostałam trochę na dnie szklanki — cóż to był za napój) z jej przesytem kolorowymi wozami wiozącymi ten kwas ortofosforowy uzdatniony aspartamem (bo cukier przecież szkodzi).

Że zderzy się moje wspomnienie zamawianych miesiąc wcześniej karpi (w znajomym sklepie i żeby były świeże, ale przecież nieżywe, by można było udawać, że wszystko jest w porządku) z jej zakupami internetowymi, a jak nie ma karpia, nie ma problemu, są inne ryby, obrane, kwadratowe, mrożone w dzwonkach lub plastrach, okrągłe lub paluszki.

Że wyjdzie na jaw różnica między kupowaniem prezentów już w środku lata na Sycylii (to będzie świetny fartuszek dla kuzynki, a te podkładki znakomite dla ciotki) a jej zamawianiem dwa tygodnie wcześniej ekspresu do kawy marki Ustalonej, w kolorze różowym, na naboje wyłącznie marki Tej, a nie Innej, i sześciu rodzajów kawy, a może i czekolady również, z dostawą opłaconą z góry. Miało się okazać, że kiedyś święta były święte, a teraz są... No właśnie. Jakie są?

Jakie były?

Które pamiętam?

Czy te, kiedy jeszcze żyła moja Babcia? Czy te w stanie wojennym, kiedy wiadomo było, ze i tak nic nie ma i ze wszystkim będą kłopoty, w związku z czym umówiliśmy się, że przeżyjemy bez prezentów? I nagle okazało się, że cała rodzina (dwanaście wtedy osób) przez cały rok zbierała okazyjnie to, co się trafiło. Na co się akurat weszło do sklepu i co „rzucili". Nigdy nie było tak bogatego Mikołaja jak wtedy — plecak ze stelażem, ręczniki frotté, mydełka Fa, szampon prawdziwy zagraniczny, o rany! Dezodorant się trafił i herbata gruzińska, papierosy na wagę, za to nie cięte, prosto z fabryki w Radomiu (załatwiła je znajoma prokuratorka), a najdłuższy miał ponad pół metra, ser żółty opakowany ślicznie w szary papier (innego nie było)!

A radości mnóstwo — ten i ów zapałki dostał, popielniczkę własnoręcznie robioną z masy solnej i pomalowaną pięknie, rysunki oprawione własnoręcznie przez grafika! Czekoladę prawdziwą, a nie wyrób czekoladopodobny! I mój piękny prezent sprzed tych trzydziestu lat pamiętam — sweter zrobiony na drutach przez Mamę, który dopiero cztery lata temu wyrzuciłam, czego do dzisiaj żałuję.

Więc święta to jednak prezenty?

— W te prezenty były włożone serca — mawiała moja Babcia, na co mój Ojciec mówił: — Ja podrobów nie lubię.

Nie lubiliśmy podrobów, ale to serce przebijało przez szare papiery pakowe i szare normalne sznurki, przez prezenty. Potem nam się rodzina powiększała, dochodzili jacyś mężowie, jakieś żony. Ten i ów się wyprowadzał, ale Wigilia niezmiennie była nasza.

Kochaliśmy się w święta.

Wybaczaliśmy sobie.

Łamał nam się głos przy składaniu życzeń i zawsze śpiewaliśmy kolędy po wigilii, nawet jeśli ktoś fałszował.

Było po prostu tak, jak w domu powinno być.

I pamiętam pierwszą Wigilię, na której zabrakło Babci. Coś się zmieniło oprócz jej nieobecności. Ale potem przybyły dzieci naszych dzieci i znowu coś się zmieniło. Może było radośniej, ale już zawsze było inaczej.

Wszystko zmieniło się po pierwszej Wigilii bez Matki.

Moja Córeczko, chciałabym ci powiedzieć, jak było dawniej, kiedy ciebie nie było, ale nie wiem, co ci napisać, bo pamiętasz właściwie. Chciałabym tylko, żebyś wiedziała, że tuż po wojnie, kiedy panowała straszna bieda, moja Babcia, a twoja nie znana ci Prababcia zapytała swoją rodzinę:

— Co chcecie? Może być dziesięć deka rodzynek albo sztuczne ognie.

A wtedy Dziadek powiedział:

— Może ognie, żeby było pięknie.

I nie było ciasta, nie tylko rodzynek. Ani prezentów. Ale nie wątpię, że było pięknie.

Chciałam ci przypomnieć list, który napisałaś do Świętego Mikołaja dwadzieścia parę lat temu, a który przechowuję do dziś: „Kochany Mikołaju, proszę Cię, przynieś mi króliczka ubranego w takie ubranko, jak widziałam wczoraj, i żwego psa. Tylko nie zapomnij".

Żwego psa dostałaś niedługo potem, powinnaś więc to pamiętać.

Ale ja chcę ci podziękować za zeszłoroczną piękną Wigilię, która była „taka jak kiedyś", mimo że nasza najbliższa rodzina wyjechała do Indii i że wszystkie świąteczne plany legły nagle i niespodziewanie w gruzach, i wszyscy wszystko musieliśmy zmienić.

Kiedy odwołałaś swój wyjazd, przeniosłaś wszystko do mojego domu, zachwycona gotowałaś i nawet nie byłyśmy zmartwione po raz pierwszy w życiu brakiem karpia — nie został wcześniej kupiony, kolacje wigilijne były zaplanowane poza naszymi domami, w Wigilię „karp wyszedł" nawet z targu, zapraszałaś na powigilijny wieczór przyjaciół, żeby było „tak jak kiedyś", i udało ci się tego dokonać, nie wiem jakim sposobem. Nie pamiętam prezentów, ale pamiętam, jak pięknie twój Narzeczony grał na pianinie, pamiętam dzieci bawiące się pod choinką, uwijające się między czterema psami dwa koty i nas wszystkich w kuchni, „tak jak kiedyś", na blacie i krzesłach, w tłumie, z jedną butelką wina, przypominających sobie dawne czasy.

Nie umiem pisać o świętach, umiem je przeżywać.

Ale chciałabym jakoś dojść do puenty, która w założeniu, że napiszesz co innego, mi się nie udała, więc wzięłam na spytki twojego Synka.

Zapytałam go, czym dla niego są święta.

— Normalnie — odpowiedział — rodziną i w ogóle.

— To znaczy?

— No, że się ma czas i przychodzi Mikołaj, chociaż wiem, że go nie ma.

— Skąd wiesz, że go nie ma?

— Bo kiedyś jak czegoś szukałem, to znalazłem swoje mleczne zęby w kubku koło Mamy łóżka. I się strasznie popłakałem, bo się okazało, że nie ma wróżki Zębuszki. I wtedy Mama mi powiedziała, że owszem, nie ma, i świętego Mikołaja też nie ma.

— Czy od tego czasu święta są dla ciebie mniej ważne?

— No co ty, Babciu — powiedział twój Syn — tylko dzieci wierzą w Świętego Mikołaja, więc muszę udawać, że on jest, bo w niego wierzą młodsze dzieci i nie można im robić przykrości. Ale ja wiem, że to rodzice kupują prezenty i w ogóle. Ale w tym roku nie napiszę do Świętego Mikołaja, niech sam się domyśli, co bym chciał.

— Jak ma się domyślić sam, kiedy go nie ma?

— Normalnie. Albo napiszę, jeszcze nie wiem. Święty Mikołaj jest w rodzicach przecież. No i w tych, którzy dają ci prezenty. Najbardziej w świętach to lubię czekać na święta, tylko to jest trochę nudne, bo trzeba czekać cały rok. A potem tylko te dwa dni!

Nie przeczytałam mu przecież twojego tekstu.

Fajnie więc, że tak nam idzie pokoleniowo, żeby nie powiedzieć — po pępowinach.

On też czeka właściwie. I wobec tego ja również życzę wszystkim nienudnego czekania. I wiary, że może być pięknie.

Nadziei, że możemy być dobrzy.

I miłości, rzecz jasna, która przecież jest w nas.

Kasia
z perspektywy zimy

Ogród z perspektywy zimy

Styczeń

Zima z perspektywy
ucieczki przed zimą

Bezkofeinowa latte z syropem
z róży - lekarstwo na Blue Monday

Fejsbóg

Dorota

Zasypało nas! Jestem zachwycona! Taksówki nie przyjmują zleceń, komunikacja miejska przewozi głównie śnieg wpadający przez nieszczelne drzwi, a samochody ślizgają się w żółwim tempie, nadanym przez tych, którzy chcieli cały rok spędzić na letnich oponach. Nie można się ruszyć. Nagle wszyscy są wyrozumiali względem spóźnień, równi wobec świata i zasp, zakochani w łóżkach i gorącej czekoladzie. W efekcie powolutku, zamiast wściekłości na mitycznych drogowców, zaczynamy czuć swą małość wobec planów natury. Rozkosznie.

Odwołałam wszystko, co mogłam. Okazało się, że mogę odwołać wszystko. Świat beze mnie nadal się kręci, nie przypuszczałam...

Odpalam komputer.

Internet na szczęście nie poddał się zamieci.

Odpowiadam na kilkanaście maili noworocznych od tych, którzy mi dobrze życzą, uaktualniam kalendarz, wpisując kilka urodzinowych imprez kolegów Syna, przyjmuję do wiadomości odwołanie zdjęć, po czym wchodzę na fejsbuka, żeby podtrzymać swoje kontakty towarzyskie.

Innymi słowy, wieczór z przyjaciółmi.

W ciągu pięciu minut wiem już, że: Iza zgubiła psa, ale się znalazł, Piotr dostał odmowę z wydawnictwa, ale tak ładnie napisaną, że było warto, Karolina bierze lekcje nurkowania, Igor umieścił nową piosenkę na Nirgunie, Karina ma gorszy humor, Kuba nadal ma dość swojej pracy, a Migdał zaprasza na urodziny.

Co prawda Migdała nie widziałam od lat, ale dzięki fejsbukowi mniej więcej wiem, co dzieje się w jego życiu. Praca, kobieta, dzieci, imprezy — ogólnie miło.

Umknęło mi tylko gdzieś między wierszami, że mieszkamy sześćset metrów od siebie. Ze wstydem odkrywam, że zwykle jestem zbyt zajęta, żeby poświęcić znajomym więcej czasu, niż zajmuje odpisanie na wiadomość tekstową, ale tym razem, w obliczu zasypanych śniegiem odmów, wyrozumiałości itp., mam nieoczekiwanie całkiem wolny wieczór. I mogę się zrehabilitować. Szybciutko sprawdzam, kto jeszcze weźmie udział w wydarzeniu o nazwie „urodzinowe pląsy u Migdała", biorę z szafki białe wino, a do Narzeczonego, który zakopany w elektronicznych nutach, od paru dni nie wychodzi z pracowni na górze, piszę maila:

„Kochanie, wychodzę, zamknij za mną drzwi".

Taki mail jest dużo pewniejszy niż telefon na przykład. Bo telefonu Narzeczony może nie odebrać. Oczywiście mogłabym się po prostu do niego udać, ale musiałabym wtedy pokonać dwa piętra, narażając się na konsekwencje wynikające z przerwania mu pracy:

— Dlaczego akurat w takim momencie?

Poza tym skrycie podejrzewam, że Narzeczony jest bezprzewodowo podłączony do swojej skrzynki pocztowej. Całym sobą. Bardzo to wszystko sprytne.

Wychodzę.

Pięknie jest. Dookoła świetlne iluminacje, śnieg skrzypi pod nogami, a nos usiłuje nie odpaść z zimna. Czuję się jakaś taka... analogowa. I jak to miło, że nareszcie będę mogła pielęgnować prawdziwe relacje bez pomocy megabajtów i Internetu.

Kilka minut później, w otoczeniu ludzi, którzy prawie nie zmienili się od czasu, kiedy ich ostatnio widziałam (ale może to zasługa uaktualniania zdjęć na fejsbuku), zaczynam miły wieczór. Rozmowa klei się od pierwszego kieliszka wina. Mój przyjaciel Kuba pyta, czy widziałam ogłoszenie z teatru, w którym ostatnio nagrywał jakiś program, ten o wylosowaniu szczęśliwców, mających zapewnione miejsce parkingowe przez następne dwa miesiące. Oczywiście, że widziałam, przecież umieścił na fejsbuku. Nawet je zabawnie skomentowałam. Kuba przyznaje rację i przeprasza, że nie kliknął w „lubię to". Na słowo „fejsbuk" włączają się Marek z Justyną. Jakoś umknęło mi, że się znowu związał po rozwodzie. Justyna fantastyczna; piękna i inteligentna, pasują do siebie jak nie wiem co. Poznali się w Necie. Pozostajemy więc w temacie.

— Oni sobie tak kadzą we wpisach „na ścianie" — mówi Kuba — że muszę odstawiać herbatę od komputera, żeby mi się nie posłodziła.

Okazuje się, że Marek z Justyną mają zwyczaj rozmawiania przez Internet na odległość stołu.

— Świetna jajecznica — pisze Justyna.

— Cieszę się, że ci smakowała — odpowiada Marek.

— O, to Marek gotuje? — dopisuje się ktoś w komentarzach.

— To ja pozmywam — puentuje Justyna.

Cieszę się, że ktoś posunął się dalej, a właściwie bliżej niż moje dwa piętra między salonem a pracownią Narzeczonego.

Justyna, jako przypieczętowanie nici sympatii, jaka nas połączyła, natychmiast wysyła mi przez komórkę zaproszenie do znajomych na fejsbuku, a ja je natychmiast przyjmuję.

Następnego dnia nie mogę się dobudzić. Okazuje się, że kontakty nie opierające się na erupcji intelektu zawartej w dwóch zdaniach komentarza są dużo bardziej wyczerpujące.

Czy naprawdę do tego sprowadziliśmy nasze relacje?

Bo kiedyś, żeby być z kimś blisko, trzeba było… po prostu być blisko. Teraz, mam wrażenie, wszyscy skupiają się na tym, żeby być blisko, będąc jak najdalej od siebie.

Natychmiast kiedy to do mnie dociera, umieszczam tę odkrywczą myśl w opisie na fejsbuku. Kilka osób „lubi to", inni komentują. Anka pisze, żebym w takim razie do niej wpadła. Nie wpadam, bo mieszka w Ursusie, a to już za daleko, ale klikam, że „lubię", to prawie tak, jakbym wpadła…

Cholera, coś jednak ze mną, z nami, jest nie tak…

W jakimś sensie nagminnie siebie okłamujemy. Dokładnie tak samo jak ci, którzy w serwisach randkowych umieszczają nie swoje zdjęcia lub kadr wycyzelowany tak, by ukryć trzydzieści kilo nadwagi i wąsik.

Szczupła wysoka blondynka okazuje się niską brunetką przy kości, superinteligentny znajomy, który tak błyskotliwie komentował nasze wpisy, w rzeczywistości jest nudziarzem, potrzebującym kilku minut, by sklecić zdanie. A nasze relacje? Setki znajomych, z których przynajmniej połowa zupełnie nas nie obchodzi. Tymczasem według brytyjskiego ewolucjonisty Roberta Dunbara, który na podstawie wielkości naszej kory mózgowej opracował tak zwaną liczbę Dunbara, człowiek może utrzymywać w swoim życiu około stu pięćdziesięciu stabilnych społecznie relacji. W obliczu tego odkrycia największa młodzieżowa obelga sprzed kilku lat, czyli „a ty masz zero znajomych na Naszej Klasie", nie brzmi już tak tragicznie.

Tak więc w tym roku nie obiecuję sobie, że schudnę, że będę się wysypiać i prowadzić zdrowy tryb życia, a jedynym postanowieniem, z jakim w niego wchodzę, jest: mniej megabajtów w relacjach międzyludzkich. O czym niezwłocznie poinformuję znajomych na fejsbuku.

Face to face

Kasia

— Ty po prostu nie istniejesz — powiedziała moja młodsza przyjaciółka do mnie, żywej, która siedziałam naprzeciwko niej, w swoim zielonym fotelu, który też był, i pokoju, który, jak mi się również wydaje, znajduje się naprzeciwko kuchni.

— Istnieję — powiedziałam cichutko.

— Ciebie po prostu nie ma — stwierdziła chłodno. — Kogo nie ma na Facebooku, tego nie ma w ogóle.

Nie ma mnie? Jak to mnie nie ma?

Odstawiła na stolik laptop i spojrzała na mnie.

— Tobą trzeba się zająć — powiedziała surowo, pocałowała mnie serdecznie i poszła.

Nie ma mnie?

Przecież wstaję rano. Jeżdżę samochodem. Spotykam się. Rozmawiam. Płaczę. Śmieję się. Kocham. Tęsknię. Czasem się złoszczę.

To ja czy nie ja? To, że żyję, w ogóle się nie liczy?

No owszem, strona internetowa w budowie, będzie — to na razie jedyne ustępstwo wobec Fejsboga, na jakie mnie stać. Nie mam wgranych programów takich jak Gadu-Gadu, nie mam kamery, nie porozumiewam się na łączach. Nie istnieję na Facebooku — ktoś zrobił Grocholę, ale to nie ja, nie ma mnie na Naszej Klasie. Pocztę ściągam wtedy, kiedy ktoś zadzwoni, że wysłał maila, a listy ze skrzynki otwieram z przyjemnością, bo ostatnio piszę ręcznie i kartkowo z paroma osobami.

Co mnie, której nie ma, ostatnio spotkało?

I czy to się liczy, jeśli nie wysłałam zawiadomień o tym do jakiegoś grona w błękitnej przestrzeni?

Czy Ania nie była wczoraj z butelką wina i z cudownym balsamem do ciała, bo po drodze do domu przejeżdżała moją malutką uliczką i zaniepokoiła się, że ciemno w oknach od ulicy, telefon nie odpowiada, a samochód stoi? Czy nie weszła na drugie piętro i nie zadzwoniła do drzwi? Nie siedziała do jedenastej?

Czy w zeszłym tygodniu nie zadzwoniła O., że weźmie S. i przyjadą tak sobie posiedzieć? Czy nie wręczyła mi w drzwiach zielonego cudnego lakieru do paznokci, który wiozła z USA, bo niech będzie w końcu jak w *Kabarecie* — boska dekadencja?

Czy S. nie leżał na tapczanie i nie mówił do mnie, której nie ma — że może mnie zaadoptować, bo gotuję rewelacyjnie?

Jeśli zniknęłam, to kogo pocałował Czarnooki z nagła i niespodziewanie w niedzielę przed wyjazdem? Komu M. powiedziała, że jest chora, i kogo przeprosił W. za wszystko, co ostatnio się działo?

O nie!

Ja jestem! W ogóle jestem. Jestem tak sobie. Jestem jak najbardziej. Czasem zmęczona, czasem uśmiechnięta, ale na pewno nie mierzona w megabajtach. Jestem — a przyjaciele wiedzą gdzie. A najbliżsi wiedzą z kim. A znajomi wiedzą niewiele. Znajomi znajomych — nic.

Przypomniało mi się, jak moja najbliższa przyjaciółka odbierała wiadomości od swojego ukochanego, który siedział w sąsiednim pokoju — takie tam różne, a to kocham cię, a to tęsknię, a to — byłaś wczoraj cudowna, powtórzymy to? A esemesy od niego wysypywały się ze skrzynki, brodziła w nich cały dzień — gdzie jesteś, kiedy będziesz, wrócę później, bo mam do kogo wracać, najdroższa, kocham — a jak już wrócił, to milczeli, bo nie mieli sobie nic do powiedzenia.

Zresztą potem się okazało, że włączał funkcję „wyślij do wielu", bo inna pani też od niego takie dostawała, a być może dostaje nawet do dziś.

Jestem przeciwna funkcji „do wielu".

Jestem wrogiem przerzucania się zdawkowymi informacjami zamiast spotkania.

Jestem wrogiem pisania do siebie „to do zoo", „to nara" zamiast rozmowy.

Nie jestem jedną z wielu.

Jestem sobą, nie plikiem w komputerze. Jestem żywa. Owszem, zaakceptowałam — choć bez zrozumienia — że moi przyjaciele, z którymi byłam na Sycylii i w Rzymie, nie mieli biletów żadnych, w ogóle absolutnie żadnych, ani dla siebie, ani dla mnie, tylko wchodziliśmy na lotnisko i mówiliśmy nazwisko przy zdawaniu bagaży. Owszem, być może tak się dzieje, że ktoś gdzieś, na przykład w Palermo, coś wie, o czym ja nie wiem. Ułatwia to oczywiście życie do pierwszej awarii prądu. Ale umówmy się, nie będzie prądu — nikt nigdzie nie poleci, nawet z biletami. A co tam poleci! W pociągach ludzie mieli bilety i też w polu siedzieli. Więc rozumiem, że technologia poszła daleko i nie wróci tam, gdzie ja zostałam.

Ale ja będę żyła swoim żywym życiem — chcę dotknąć osoby, którą kocham, chcę przytulać i być przytulana, chcę kochać namacalnie, a nie wirtualnie. Wiem, że N. ma wspaniały seks przez Internet — ale umówmy: nie wierzę!!!

W sobotę był u mnie synek Mojej Córki.

— Ma zakaz grania na komputerze, więc musicie robić co innego — powiedziała Moja Córka.

Pierwszego dnia graliśmy trzy godziny w pouczającą grę planszową „Gra w życie", a potem w scrabble, później zamknął się w łazience i nie mógł otworzyć drzwi, co prawie przyprawiło mnie o zawał, a wieczorem, kiedy pocałowałam go na dobranoc, powiedział:

— To był fajny dzień, lubię być z tobą bardzo.

Drugiego dnia gadaliśmy o życiu, o czym napiszę kiedyś, palił w łazience zapałki, byliśmy w kinie, a potem pożalił się na rodziców.

— Bo rozumiesz, nie wiesz, jak się czuje dziecko, kiedy przychodzi do domu, a tam nikogo nie ma, i ono nie ma kluczy, i jest zimno, i nie może nigdzie zadzwonić, bo nie ma telefonu!

— Nie mogłeś iść do sąsiadki? — przypomniałam sobie w porę, żeby nie odsądzać rodziców dziecka od czci i wiary, bo to z kolei moje dzieci.

— Nie! Całe szczęście, że miałem iPoda i w końcu złapałem zasięg jakiejś sieci, i wysłałem maila do Taty, to przyjechał! — powiedział synek Mojej Córki, lat dziewięć, do mnie, żywej i istniejącej lat więcej niż dziewięć, a ja wtedy pomyślałam ciepło o Internecie.

Więc w tym roku nie czynię specjalnych postanowień. Po prostu będę szczęśliwa. I spróbuję uruchomić stronę internetową na początek. Oraz wymyślę jakiś sposób porozumiewania się z rodziną mailem wtedy, kiedy ta rodzina nie odbiera telefonów. Oraz uruchomię w końcu to maleńkie urządzonko, które dostałam w prezencie, które posiada czterdzieści czegoś tam i ma mi ułatwić coś tam, ale nieuważnie słuchałam. Lecz przytulę się do kogoś żywego, a nie wirtualnego. I rozmawiać będę, siedząc z kimś twarzą w twarz.

Małpia łapka

Kasia

Nagle zdałam sobie sprawę, że naprawdę w tym roku po raz pierwszy w życiu nie zrobiłam żadnych, absolutnie żadnych postanowień noworocznych, oprócz tego drobniutkiego.

Nie obiecałam sobie zdrowego trybu życia, porządków, załatwienia, napisania, odpuszczenia, rzucenia rzeczy niezdrowych, gimnastyki porannej, wyjazdów, nauki — nic. Nic. Żadnych obiecanek cacanek. Żadnych przysiąg. Żadnych terminów, że od pierwszego to już nigdy i że od pierwszego to już zawsze.

Nie przeczytałam żadnego horoskopu, który by mi przyrzekał przystojnego blondyna w okolicach czerwca i przypływu gotówki pod koniec maja, kiedy to Słońce wejdzie w Saturna czy Jowisz zamieni się miejscem z Wenus, czy coś podobnego.

Nie wiem, jakie są moje szczęśliwe liczby ani czy powinnam zagrać w gry liczbowe lub inne i kiedy. Nie oczekuję zmian zaznaczonych grubą czcionką w kolorowych pismach. Nie zastanawiam się, czy wyjechać, czy wrócić, czy odłożyć, czy przyspieszyć, czy oszczędzać, czy wydawać, czy czekać, czy się zacząć martwić.

Nie zrobię absolutnie nic w kwestii planowania, wymyślenia, przedłożenia.

Takie jest moje postanowienie noworoczne.

Spojrzałam do komputera, pod koniec każdego roku od lat zapisywałam w pliku „Nowy Rok" (1999, 2000, 2001 itd.) różne ważne rzeczy, które miały mi się przydarzyć. Jakaś wielka miłość, jakieś szczęście niemożebne, jakieś nowe twórcze wyzwanie, które rzuci świat na kolana.

Pisałam życzenia do Nowych Lat — życzyłam samej sobie lepszej siebie, lepszego świata, lepszego życia dla moich bliskich, lepszych rzeczy, lepszego zdrowia, lepszego dnia — wymieniałam detalicznie, na co liczę, co chcę, co ma nastąpić i kiedy. Takie życzeniowo-magiczne małe myślątka, które nie przystoją dorosłej kobiecie.

I nagle przeczytałam to wszystko — skumulowane przez lata — i złapałam się za głowę.

Jakie to szczęście, że los czasami postanowił inaczej!

Jaka to radość, że te moje życzenia nie zostały spełnione. Jakie to zadufanie myśleć, że wiem lepiej, co jest dobre dla mnie samej.

Nie mogłam uwierzyć własnym oczom, kiedy okazało się — a okazuje się to po latach — że moje wspaniałe życzenia nie tylko się nie spełniły, ale postąpiły wręcz przeciwnie. I w dodatku z korzyścią dla mnie.

A przecież pamiętałam o tym od czasu, kiedy przeczytałam opowiadanie *Małpia łapka*. Małpia łapka spełniała życzenia — trzy. Ktoś gdzieś z nią przyjechał z dalekiej podróży do przyjaciół w Anglii — wykończony i zmarnowany, opowiedział o małpiej łapce, która spełnia życzenia, wytłumaczył, że to przekleństwo, i rzucił łapę w ogień. Gospodarze wyjęli ją z kominka, położyli obok i powiedzieli, że wiedzą, iż to bzdura, ale na wszelki wypadek chcą dostać dwieście funtów.

Podróżnik zmartwił się bardzo, pożegnał i poszedł, a starsze małżeństwo i ich dorosły syn czekali, aż dwieście funtów spadnie im z nieba. Nie spadło. Następnego dnia syn poszedł do pracy, a pracował w kopalni. Dzień się skończył i ktoś zapukał do drzwi. Kiedy ojciec otworzył, pobladł — za drzwiami stał przedstawiciel kopalni, przekazał wiadomość, że syn zginął wkręcony w jakąś straszną maszynę, ale oni dostaną odszkodowanie. Dwieście funtów.

Po pogrzebie w nocy matka obudziła męża i krzyknęła:

— Jeśli nasze życzenie się spełniło, to znaczy że nasz syn może ożyć. Niech ożyje! — Potrząsnęła zapomnianą małpią łapką.

Czekali w napięciu, aż wreszcie spłakani poszli spać. Nad ranem ojciec usłyszał pukanie do drzwi i zdał sobie sprawę, że cmentarz, na którym został pochowany, znajdował się dziesięć mil od ich domu, a na przebycie tej drogi ktokolwiek potrzebowałby właśnie tych kilku godzin. Uświadomił sobie też, że ciało syna było straszliwie pokiereszowane, sam nie mógł go rozpoznać. Kiedy żona pobiegła do drzwi, wziął więc małpią łapkę i szybko wypowiedział trzecie życzenie. Zdążył — kiedy ona otworzyła drzwi, nikogo za nimi nie było.

Zapamiętałam tę historię jako przypowieść, że nie wszystko ma być takie, jak chcemy, i zapomniałam!

A przecież czasem lepiej dla nas, co okazuje się poniewczasie, że nasze życzenia się nie spełniają. Dlaczego o tym nie pamiętałam przez ostatnie lata?

Po raz pierwszy w tym roku podziękowałam minionemu, że był dla mnie tak życzliwy. Że nie stało się nic złego, że nikt z bliskich nie umarł, że to, co odeszło, zrobiło miejsce na inne, lepsze rzeczy, że byliśmy zdrowi, że mogłam pracować, że otwierają się dla mnie nowe przestrzenie, że ważne jest to, czego nie znam, i że nie muszę się tego bać.

Że nie wiem, co będzie, ale właśnie w tym „nie wiem" jest smak i radość życia.

„Nie wiem" czasem zmusza do zmiany, a czasem do stałości.

W „nie wiem" jest pokora i w „nie wiem" jest chęć poznania.

Dopiero w „nie wiem" można doszukiwać się ciekawości, nie wiem, być może będę chciała wiedzieć albo zdecyduję, że pozostanę w niewiedzy.

„Nie wiem" jest twórcze, rozwijające, zmieniające mnie i tym samym świat.

W „nie wiem" drzemie niezwykła siła, z której oczywiście można skorzystać, ale też się korzystać nie musi.

Nie wiem, co przyniesie nowy rok. Różności, sądzę, jak zawsze. Jedyną stałą jest zmienna, więc nie chcę się przywiązywać do swoich wyobrażeń i pragnień. Nie wiem, czego chcę. Patrzę. Rozglądam się. Nie chcę się uginać ani przeciwstawiać. Nie chcę walczyć ani udowadniać. Chcę wiedzieć, czego chcę. Nie wiem, czy mi się uda. Chcę robić to, co sprawia mi przyjemność, choć jeszcze nie wiem, co to jest. Chcę kierować się tym, co ja myślę, a nie tym, co myślą na mój temat inni. Chcę być dla siebie najważniejsza. Ale to nie jest plan na nowy rok, dorośleję być może.

Będę po prostu żyć. Z tym że nie wiem, czy to długo potrwa. Więc cieszyć się muszę od zaraz, żeby nie tracić ani chwili.

Blue Monday

Dorota

Cieszę się niezmiernie, że w końcu doszłaś do tych jakże śmiałych wniosków, w dodatku postanowiłaś żyć i w ogóle. Myślisz, że ja też dorosnę po pięćdziesiątce?

Jak do tej pory wszelkie moje postanowienia noworoczne czynię we wrześniu — czyli wtedy, gdy zaczyna się nowy rok... szkolny. Co prawda nie obiecuję już sobie pięknie prowadzonych zeszytów ani ogłady w kontaktach z nauczycielami (choć ta druga opcja bywa pomocna na zebraniach), raczej skupiam się na tym, że zrobię prawo jazdy (nie robię), zapiszę się na siłownię (zapisuję), będę na nią chodzić (nie chodzę), schudnę (czasem chudnę) i będę odbierać telefon (czasem odbieram). Nie przywiązuję do tego zbytniej wagi, ale jest coś takiego w tym wrześniu, że zawsze mam ochotę postanawiać. I kończy się tak jak w czasach szkolnych... Owszem, zdarzało mi się jeszcze coś sobie obiecywać o innych porach roku — była to zwykle faza druga po tym, jak rzucił mnie jakiś chłopak. Postanawiałam sobie wtedy, że będę zupełnie inna — czyli jeśli akurat miałam długie włosy, kilka kilogramów za dużo i byłam fanką Nirvany — natychmiast się ścinałam i chudłam, zaczynałam słuchać innej muzyki oraz dla podkreślenia swego nowego „ja" chodziłam inną drogą do szkoły. Straszny kretynizm. Jak widzisz, jestem chwilowo jak najdalsza od czynienia jakichkolwiek postanowień — jest styczeń, nikt mnie nie rzucił, a poza tym jestem nieszczęśliwa. Choć dziś wstałam. To już jest coś. W dodatku nie położyłam się od razu z powrotem do łóżka — drugi sukces. Odebrałam nawet maile i jakieś telefony. Brawo! Biorąc pod uwagę depresyjkę, w jaką zaczęłam się powolutku osuwać jakieś dwa tygodnie temu, mogę być z siebie dumna. Zaglądam do Internetu, by zrobić poranną prasówkę, i niestety dowiaduję się, że „dziś jest najbardziej dołujący dzień w roku", tak zwany, skrzętnie wyliczony przez naukowców, *Blue Monday*. Mam ochotę natychmiast wyłączyć dzwonek w telefonie, iść spać i nigdy się nie obudzić lub jeśli już, to w okolicach kwietnia. Zanim zdążę to zrobić, dzwoni moja znajoma psycholog, Agnieszka, i umawiamy się na kawę. Nawet asertywność mi dziś spada do zera, myślę, ale posłusznie wkładam kurtkę.

— O Jezu, co się dzieje? — zapytała Agnieszka, gdy tylko usiadłam przy stoliku w kawiarni, gdzie byłyśmy umówione.

— Zasadniczo nie lubię — odpowiedziałam.

— Czego?

Wzięłam głęboki oddech.

— Stycznia i lutego, szkieletów choinek przy śmietnikach, mrozu, lodu, błota, pluchy, szarugi, ciepłych ubrań, zakazu palenia w kawiarniach, kiedy jest tak zimno. Poza tym bardziej się śmierdzi, jak się pali tak na szybko, na dworze. Wychodzenia z psami, zaparowanych szyb, ciągłego mycia podłóg, przymusu narciarskiego w ferie, krótkich dni, kabli wystających ze ściany, wywiadówek, śniegu i tego, co spod niego wyłazi. Niczego nie lubię, co jest!

Agnieszka spojrzała na mnie zaniepokojona.

— A jest coś, co lubisz?

— Nie ma.

— Na pewno jest — przekonywała. — Musisz tylko usiąść i na spokojnie się zastanowić.

— Nie ma — jestem uparta, ale dwie godziny i trzy bezkofeinowe kawy później siadam przy komputerze i zaczynam przeglądanie zdjęć z wakacji. I przypominam sobie, co lubię.

Lubię stacje benzynowe. Najbardziej o zachodzie słońca. W lecie. Z przyjaciółmi. Siedzimy z kawą, przeglądamy mapę, planując dalszą trasę, i leniwie obserwujemy. Obok przewija się mnóstwo ludzi. Jedni się spieszą, przestępują nerwowo z nogi na nogę w kolejce do toalety i w ostatniej chwili wykrzykują do swej drugiej połówki przy kasie: „Kup mi jeszcze wodę", inni przeglądają spokojnie gazety, chichocząc nad tabloidami. Grupa nastolatków wpada uzupełnić zapasy alkoholu „na grilla", pan z teczką nalewa sobie cztery porcje syropu do latte, choć zapłacił tylko za jedną, aż w końcu pojawia się ktoś znajomy, zwykle ostatnia osoba, którą spodziewalibyśmy się zobaczyć kilkaset kilometrów od domu.

Lubię letnie wieczory w blokowiskach. Z otwartych okien wydostają się strzępki przeróżnych historii, zapachy, słowa. Powoli cichnie gwar na dworze, ostatnie „ma-mo!" i „Marta, do domu!". Ludzie jeszcze nie zaciągnęli zasłon, ale już zapalili światła. Bezwstydnie patrzę im w okna i fascynuje mnie ta różnorodność. Już nie ma takiej samej meblościanki na takiej samej ścianie, nawet kolory żarówek różnią się odcieniem. I telewizor nie mówi jednym głosem, jak wtedy, gdy do wyboru były dwa kanały. Lato w mieście ma niesamowity, niepokojący zapach, który o zmierzchu staje się intensywniejszy. Zupełnie jak zapach maciejki.

Lubię hale przylotów. Lubię emocje, które towarzyszą czekającym tam ludziom. Lubię patrzeć, jak nieudolnie próbują ukryć swoje podniecenie, kiedy rozsuwają się drzwi — jest czy jej nie ma? Jeszcze nie teraz. I znowu rundka dookoła hali, szybkie wyjście na papierosa, powrót. Nerwowe zerkanie na telefon. Uśmiech na twarzy — dzwoni! I gdzie jesteś? Odebrałaś bagaż?

Widziałam, jak jedna para dopiero po minucie uścisków, przepychania wózka, łez zorientowała się, że nadal trzyma telefony przy uszach. Mam wrażenie, że to jedno z niewielu miejsc, gdzie choć przez chwilę czujemy tylko dobre rzeczy. Zakaz palenia, zakaz pozostawiania bagażu bez opieki, zakaz negatywnych emocji.

Pamiętam, kiedy w pewną letnią noc na początku lat osiemdziesiątych pojechałam z Matką odebrać Ojca, który wracał z placówki w Libii. I z perspcktywy kilkuletniego dziecka zapamiętałam to dokładnie tak samo, najbardziej magiczna noc mojego dzieciństwa.

Lubię pierwszy zapach wiosny, gdzieś na początku marca. To może być jeden powiew, coś jak zapowiedź, telegram z dobrą nowiną. Niestety, zwykle odczuwam wtedy zew natury i natychmiast zaczynam się babrać w ogródku. W zbyt cienkiej bluzie oczywiście, a dwa dni później chora ląduję w łóżku. Potem okazuje się, że tak samo jak większość moich znajomych — więc dzwonimy do siebie, kajając się, jacy jesteśmy głupi, i zapewniając się nawzajem, że już nigdy tego nie zrobimy, ale rok później jest to samo.

W ogóle w rozsądnych dawkach to ja lubię chorować. Oczywiście musi być posprzątane —

inaczej nawet w pozycji horyzontalnej znajduję sposób na obsługę odkurzacza. Przygotowuję sobie zestaw filmów i książek, pięknie ścielę łóżko i celebruję każdą chwilę w nim spędzoną. Moja przyjaciółka twierdzi, że to jedyny urlop, na jaki mogę sobie pozwolić przy nienormowanym czasie pracy.

Lubię hotele. Ich oderwanie od codzienności. Właściwie przy zameldowaniu powinno się dostawać nowe imię i nazwisko. Białe ręczniki, pościel w białe pasy, sposób zawinięcia końcówki papieru toaletowego. Bezszelestnie poruszające się sprzątaczki, śliczna pani w recepcji, kelner zapamiętujący wino wybrane do pierwszej kolacji. Wszyscy są tu dla ciebie — jesteś kimś i nikim jednocześnie. Gościem z pokoju 122. Uwielbiam zasiąść wieczorem w hotelowym barze i obserwować ludzi. Jest grupa biznesmenów — piją whisky, ale nie za dużo, żeby nie stracić kontroli, choć jeden już zaczął podrywać kelnerkę, za chwilę będą się zachowywać ciut za głośno. Jakaś para siedzi przy winie, ona skrycie płacze, on ją skrycie pociesza. On ma obrączkę, ona nie ma. Wchodzi grupa ze szkolenia BHP. Firma farmaceutyczna. W szampańskich nastrojach, choć według wywieszki w foyer od ósmej rano dnia następnego mają zajęcia. Dwie panie i jeden pan siadają przy barze. On bada, z którą panią ma szansę zejść jutro na śniadanie.

— Bo wiesz, w innej strefie czasowej to nie zdrada i w delegacji to nie zdrada... — rechocze, poklepując towarzyszkę z prawej strony.

Do baru dochodzą jutrzejsi goście weselni. Panie mają maleńkie szpilki w szpic, a panowie obuwie sportowe. Zachowują się dużo ciszej od szkoleniowców, choć wiem, że jutro będzie dokładnie odwrotnie. A ja siedzę i chłonę wszystko, co się dzieje. Trochę jestem, a trochę mnie nie ma, zupełnie jak kelnerki i recepcjonistki. Uwielbiam hotele.

Lubię wrzesień, bo wszystko się wtedy zaczyna, lubię wiatr, wysokie trawy i pagórki, ale takie, o których wiem, że bez problemu mogę je przemierzyć. Lubię grzane wino w Europejskiej, kawę z różą w Milimoi i koktajl bananowy z pestkami dyni w Małej Czarnej. Lubię drzemki na kanapie, kiedy wszystko w domu jest zrobione, a Syn jeszcze nie wrócił ze szkoły. Lubię seriale kryminalne z lat siedemdziesiątych i filmy z lat pięćdziesiątych i sześćdziesiątych. Lubię mruczenie kota Zaraza, lubię morze i budowanie zamków z piasku. Takich z kratami w oknach i fosą. Lubię grać w scrabble i kanastę. Lubię czekoladę z zamrażalnika. Kurczaka w cieście kokosowym z Azzuna, zupę tajską, sushi na ciepło, brownie Gosi, mus z białej czekolady robiony przez Milenę i befsztyki z polędwicy wołowej. Tak, lubię jeść. Niestety, lubię też być szczupła, a to się trochę wyklucza. Lubię wieczorne rozmowy, które kończą się nad ranem. Lubię sezon grillowy, lubię leżeć na łące i obserwować deszcz meteorytów. Lubię swój różowy rower z bieżnikiem tłoczonym w kwiaty. Lubię jogę kundalini, ale najbardziej to ją lubię, kiedy już skończę ćwiczyć, bo niespecjalnie lubię się męczyć. Lubię jeszcze milion rzeczy, więc chyba nie jest ze mną tak najgorzej.

Kopiuję to wszystko do maila i wysyłam. Agnieszka odpisuje mi esemesem pół godziny później. „Może przenieś się do jakiegoś hotelu na te dwa miesiące?" „Nie, bo prawdopodobnie przytyję" — odpowiadam. „To zostaje ci tylko hala przylotów — Tom Hanks dał radę, to i tobie się uda!"

I tak sobie teraz myślę, że nawet w tym wstrętnym styczniu mogę sobie coś postanowić. Że nawet kiedy wszystko będzie iść zupełnie na opak, a mój nastrój sięgnie dna, nawet w *Blue Monday* nie zapomnę, ile rzeczy lubię.

Niskokaloryczna kolacja.
Zakopiańska
AKA Dieta
Krupówkowa...

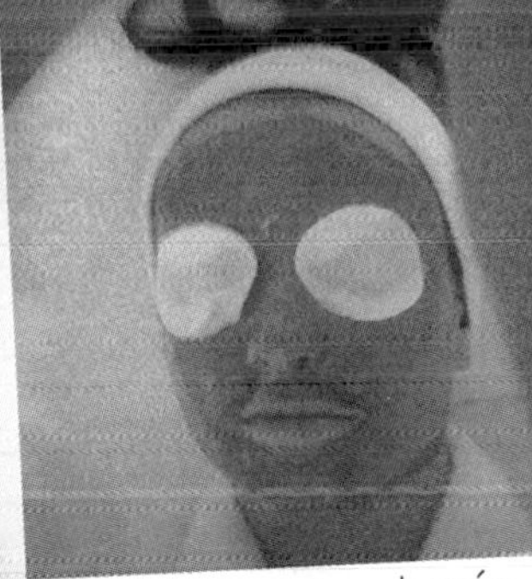

w pakiecie z serią zabiegów,
mających zapobiec skutkom
tejże diety.

Luty

Pies mniejszy od kota...

a i tak wolę kota od ciebie...

Zgniły kompromis

Dorota

Jak co roku zima przyniosła mi kolejne potwierdzenie tezy, że każdy kompromis jest zły. Lub zgniły, jak mawiał Lenin (dodajmy: zły i obecnie również troszkę zgniły). Otóż rokrocznie w okolicach ferii dociera do mnie, jak różne oczekiwania co do wypoczynku zimowego mamy ja i Narzeczony.

Podczas gdy moim pragnieniem jest absolutne ignorowanie tej pory roku, Narzeczony marzy o jeździe na desce na stokach, najlepiej w okolicach Zakopanego, bo tam Szymanowski i duch artystyczny, a Tatry to już w ogóle. No i ta góralska gościnność...

Rokrocznie tłumaczę mu, jak bardzo nie lubię gór (przytłaczają mnie), Zakopanego (folklor made in China), owiec, dzwonków, wełnianych spodni ręcznie wyszywanych, oscypków (nawet z żurawiną), skrzypiec fałszywych, tłumu turystów, wyciągów krzesełkowych, Krupówek, Peruwiańczyków śpiewających „Góralu, czy ci nie żal?" — wymieniam, wymieniam, wymieniam, potem się kłócimy i z jakiegoś powodu podejmujemy decyzję, że jednak jedziemy.

Argumentem tegorocznym był Syn na zakopiańskim zimowisku (odbierzemy go i pobędziemy chwilę razem), a poza tym Patrycja z Rafałem i dziećmi, którzy chętnie zgodzili się nam towarzyszyć (nie będę musiała jeździć na stok ani sama siedzieć). Problemem pozostało zakwaterowanie. U zaprzyjaźnionych górali się wszyscy nie zmieścimy (poza tym to folklor), ceny za domki są w euro, a nawet gdyby zamiast EUR umieścić PLN, to i tak byłoby za dużo, hotele za drogie jak na standard, jaki oferują.

W końcu znajduję jakąś niesamowitą promocję w pięciogwiazdkowym hotelu, przekonuję Narzeczonego, znajomych i siebie, że należy nam się troszkę luksusu, i bukujemy miejsca. O, tym razem będzie inaczej! — postanawiam. Będę sobie pływać w basenie, ignorując zimę, żadnej reisefieber, nic na ostatnią chwilę.

Siedzę więc w idealnie wysprzątanym domu, walizki spakowane, Syn od kilku dni na zimowisku (nawet sobie nie wyobrażam, jak jest czadersko, i choć pierwszego dnia sobie nie radził, to dziś już dobrze, ale to bardzo dobrze jeździ na nartach). Narzeczony pojechał odwieźć psy — cudowny spokój.

Zbyt pięknie.

Brązowa mysz przebiega mi koło nóg.

Ze zdziwienia zapominam krzyknąć. Tuż za nią biegnie koleżanka. Wiedziałam co prawda, że mam myszy w garażu, ale nie przyszło mi do głowy, że wykorzystają moją dobroć i litość (na zewnątrz minus dwadzieścia stopni, dajmy im pomieszkać do wiosny), żeby przedrzeć się do domu.

Uznałam, że muszę natychmiast zapalić. Przeszukawszy wszystkie torebki i płaszcze, a także pojemniczki na bardzo przydatne rzeczy, odkryłam, że w moim domu nie ma absolutnie żadnej zapalniczki i że jedynym źródłem ognia jest gazowy piec c.o., umieszczony sprytnie na drugim piętrze.

Problem polega na tym, że:

a) zasadniczo palę tylko na zewnątrz;

b) za każdym razem, kiedy wejdę na górę, dostaję takiej zadyszki, że przysięgam sobie natychmiast rzucić palenie.

Wdrapałam się jednak, przeczekałam kryzys, zapaliłam i zbiegłam szybciutko na dół. Pomyślałam nawet, iż jest to genialny sposób na ograniczenie, ba! — nawet rzucenie palenia, bo przecież nie będzie mi się chciało tak latać z góry na dół. Kiedy dwadzieścia minut później od drugiego papierosa odpalałam trzeciego, który naturalnie był odpalony od pierwszego (w końcu nie będę tak latać), wrócił Narzeczony.

— Mamy myszy — poinformowałam go.

Kolejne cztery godziny spędziliśmy, demolując dom w poszukiwaniu gryzoni. Widok Narzeczonego w moich kaloszach w panterkę, operującego miotłą niczym kijem hokejowym, zostanie na zawsze w mojej pamięci.

Rezultat — dwie myszy za szafkami kuchennymi plus jedna (z pewnością mająca pelerynę niewidkę) w salonie. Idziemy spać z nieprzyjemnym uczuciem, że już nigdy bajka *Tom i Jerry* nie będzie taka sama.

Rano znajdujemy jedną mysz w torebce na chleb. Spożywa. Wynosimy ją na zewnątrz i pakujemy walizki do samochodu. Narzeczony jest przekonany, że weszła do środka. Ja nie.

Syn dzwoni, że był właśnie na pięciogodzinnych zakupach (i było tak czadersko, że nawet sobie nie wyobrażam). Pytam, czy zostały mu jeszcze jakieś pieniądze, bo więcej nie dostanie.

— Trzy złote — odpowiada. — Ale mamusiu, ja dla siebie kupiłem tylko takiego przytulaczka, ale może być nasz wspólny, a dla ciebie mam taką śmiczną czapkę i konika pomarańczowego, a dla taty ciupagę!

Dzwonię do Patrycji, która już jest na miejscu, żeby podjechała do mojego Syna i dała mu dwadzieścia złotych. Wyjeżdżamy.

Dwa pierwsze dni spędzamy u zaprzyjaźnionych górali. Jest bosko. Okazuje się, że lubię Kościelisko, a i folklor nie zawsze jest made in China, ale staram się nic nie mówić Narzeczonemu, żeby mu nie zrobić przykrości. Ten szaleje na stoku, ja siedzę z Ewą i Józkiem w kuchni, ignorując zimę.

Z żalem przeprowadzamy się do hotelu, po drodze odbierając Syna z zimowiska. Moja śmieszna (nawet nie wiem jak czaderska) czapka okazuje się futrzanym królikiem w kolorze lila-róż. Syn jest zachwycony, więc chodzę w niej, jak zresztą pół Zakopanego.

W hotelu czekają już na nas Patrycja z Rafałem i dziećmi. Pola (pięć lat) i Iwo (dwa lata) są zachwyceni widokiem Syna i odwrotnie. Co prawda w drodze do pokoju musimy przejść jakieś czterysta metrów plątaniną korytarzy, skorzystać z dwóch wind i odwiedzić SPA, ale to w końcu pięć gwiazdek.

Za każdym razem, kiedy mijamy obsługę, wszyscy stają na baczność bez śladu uśmiechu. Przerażające.

Idziemy coś zjeść, ale nie do końca się da, z powodu wszechobecnego nadmiaru maggi. Rafał z Narzeczonym postanawiają iść na narty. Zostajemy z Patrycją i dziećmi oraz planem zmęczenia ich, położenia i poplotkowania.

— Idziemy na basen! — zarządzamy więc.

W części SPA temperatura niczym w saunie, w basenie zimno jak cholera. Zabieramy dzieci do groty solnej (dodatkowe sześćdziesiąt złotych za godzinę od osoby, ale jest promocja), żeby je trochę wyciszyć i przygotować do snu. Działa. Po pięciu minutach Patrycja śpi snem kamiennym jak sól, idę więc z dziećmi do swojego pokoju.

Syn korzysta z mojej nieuwagi i natychmiast zaczyna grać na przenośnym playstation, a Iwo grzecznie układa samochodziki tuż przy jego nodze. Usiłuję uczesać Polę jakkolwiek, żeby tylko mogła patrzeć na świat, co nie jest łatwe przy odrastającej grzywce i niezrozumiałej awersji do spinek.

Każda fryzura zostaje dokładnie obejrzana w lustrze, przeanalizowana i sklasyfikowana jako nieodpowiednia i: „nie taka, jak robi mi moja najprawdziwsza siostra Barbie".

Nie przypominam sobie, żeby Patrycja kiedykolwiek urodziła Barbie, choć w Zachęcie widziałam kiedyś kobietę (Nie-Patrycję), która najprawdopodobniej to uczyniła, ale to była sztuka przez duże S. Tak przynajmniej o tym pisali.

Szybko usiłuję wydobyć z pamięci jakikolwiek wizerunek uczesanej Barbie (moje miały obcięte włosy i permanentny makijaż wykonany flamastrami, co powolutku mam też ochotę uczynić z główką Poli) i w końcu trafiam. Oblicze Poli rozchmurza się, małe rączki oplatają mi szyję i słyszę:

— Kocham cię, wiesz?

Było warto, właściwie mogłabym ją jeszcze trochę poczesać.

Skoro tak doskonale radzę sobie z dziećmi, czas zadbać o siebie i zadać kłam plotkom, że niemożliwe jest połączenie tego w sprawnie działający mechanizm.

Włączam telewizor i odnalazłszy bezpieczny i jakże edukacyjny kanał o zwierzątkach, wychodzę na chwilę do łazienki. Dwie minuty później zastaję Polę łkającą przed ekranem, za to Syn niewzruszenie steruje centymetrowym Indianą Jonesem, co chwila zmieniając pozycję, bo Iwo z niezwykłym pietyzmem rozkłada wszystkie moje jeszcze przed chwilą poukładane rzeczy w skomplikowane serpentyny dróg i tuneli na nie pościelonym łóżku.

— Poleńko, co się stało? — pytam.

Odpowiada mi płacz — szczery i głęboki.

— Chcę urodzić świstaka! — wyznaje Pola, po czym rzuca się na łóżko, niszcząc całą Iwusiową konstrukcję. Iwo nie jest zadowolony z przebiegu sprawy i szybciutko dołącza do siostry.

— Antek, możesz mi wyjaśnić, dlaczego Pola płacze? — pytam.

— Bo chce urodzić świstaka — odpowiada mi spokojnie Syn.

— A dlaczego chce go urodzić? — drążę niewzruszona.

— Bo zostawiłaś telewizor na programie o świstakach i jeden umarł — tłumaczy.

Dociera do mnie, jak bardzo nie znam się na małych dziewczynkach i ich potrzebie zachowania równowagi w przyrodzie.

Próbuję wytłumaczyć Poli, że zupełną niemożliwością jest urodzenie gryzonia przez pięcioletnią dziewczynkę.

— Ale ja chcę! — powtarza Pola, wtulając buzię w kołdrę, a wtóruje jej trochę cichsze wyznanie Iwa:

— A ja cię tunel.

— Chcę natychmiast urodzić opiekunkę do dzieci! W pełni wykwalifikowaną! — mówię i mam ochotę rzucić się na łóżko.

— Kochana, dziękuję, że dałaś mi pospać! — w drzwiach stoi Patrycja.

Moje wybawienie. Szybko ogarnia wzrokiem pokój.

— Co się stało? — pyta.

— Iwo chce tunel, Pola chce urodzić świstaka, a mama opiekunkę do dzieci, w pełni wykwalifikowaną — odpowiada mój Syn ze stoickim spokojem.

— Aha — Patrycja pełna zrozumienia podchodzi do szlochającego łóżka.

— Chodźcie, pójdziemy zbudować fantastyczny tunel.

Iwo łypie jednym okiem:

— Cię tunel — potwierdza i wstaje, otrzepując pulchne kolanka.

— Ale ja chcę urodzić świstaka! — wyje Pola.

— Dobrze, kochanie — odpowiada Patrycja.

Łzy Poli natychmiast przestają płynąć, a na jej twarzy pojawia się uśmiech.

— A teraz damy troszkę odpocząć cioci Dorotce — dodaje Patrycja i ściskając w obu dłoniach rączki swoich dzieci, idzie w stronę drzwi. — Dopóki nie każą nam niczego rodzić, zgadzaj się na wszystko — zdradza szeptem i wychodzi.

Ze zdziwienia idę spać.

Wieczorem, już bez dzieci (wykwalifikowana opiekunka urodzona nie przeze mnie), idziemy oblać moje imieniny w słynnej Kawiarni Europejskiej. Zimno jak cholera, a przy wyjeździe z hotelu góral z saniami. Po chwili już jedziemy, całą drogę modląc się, żeby koń nie padł, a góral nie wypadł, bo chwieje się niemożebnie, bynajmniej nie z zimna.

Krupówki witam z lekkim obrzydzeniem, ale nie mając innego wyjścia, dołączam do tłumu podążającego w dół. Docieramy. Nie ruszona zębem czasu Europejska — relikt poprzedniego ustroju, z wykładziną pamiętającą podeszwy butów Relax i kelnerką ze złotym zębem, która zamyka za nami drzwi na klucz.

Zamawiamy gorzką żołądkową i nabożnie czekamy na gwóźdź wieczoru. W końcu jest! Pojawia się bezszelestnie na parkiecie, ubrany przenajpiękniej w połyskliwy strój, aż bije od niego łuna złocistego światła.

Ricardo! Przy stolikach poruszenie. Panie ze starannie uplecionymi fryzurami poprawiają złote klipsy, a my pijemy trzecią kolejkę.

Patrycja wyjmuje kamerę, choć nie wolno, a Rafał cieszy się jak dziecko. Ricardo śpiewa piękne piosenki, zaprasza do tańca, porusza biodrami, chodzi wśród stolików i całuje mnie w rękę. Pijemy piątą kolejkę. Ricardo idzie się przebrać. Tańczymy macarenę i cocojambo. Za kasą siedzi na oko dziewięćdziesięcioletnia staruszka — podobno babcia klozetowa i podobno właścicielka. Jest wspaniale. Przy siódmej kolejce, tuż po *Parostatku*, nawet Narzeczony wychodzi na parkiet. Jest pięknie. Kocham Zakopane i Krupówki. Piechotą wracamy do hotelu. W hallu spotykamy pewnego posła w niepewnym stanie. Ślizga się na kamiennej posadzce. Pierwszy raz widzę, jak portier się uśmiecha. Niestety, kolega posła też to widzi. Idziemy spać, nie czekając na finał.

Rano chcę popływać, ale w żadnym z trzech hotelowych szlafroków nie ma paska. Żądam, żeby Narzeczony po drodze na stok odwiózł mnie do domu Ewy i Józka. Narzeczony patrzy na mnie dziwnie.

Kiedy kilka dni później opuszczamy Zakopane, rezerwuję u nich pokoje na następny rok, umawiamy się na kolejną wizytę w Europejskiej, a Adam mówi, że on to już nic nie rozumie.

— Przecież chciałaś gwiazdki, basen i zero folkloru.

— Takie są kobiety — odzywa się nagle Syn z tylnego siedzenia samochodu — nigdy ich nie zrozumiesz.

Nie wiem, czy to zimowisko to był najlepszy pomysł…

PS Mysz jednak weszła nam do samochodu i zmęczona długą podróżą wyzionęła ducha pod wykładziną. Dała nam o tym znać za pomocą dość intensywnego zapachu. Druga spokojnie i bezwonnie zasychała sobie w salonie, po tym jak przegryzła kabel od lampki. Natomiast Spasiona Kuchenna po tygodniu omijania pułapek (które notabene oduczyły naszego psa wchodzenia na stół w poszukiwaniu resztek ze śniadania) dokonała żywota w zmywarce, nastawionej na trzydzieści pięć stopni.

— Wymyła się na śmierć — orzekł Syn z satysfakcją, gdyż potwierdziło to jego przypuszczenia o szkodliwości mycia się.

Zwierzęcy kompromis

Kasia

Kochanie, twoje ferie są niczym w porównaniu z moimi, w towarzystwie twoich psów, które w związku z waszym wyjazdem do Zakopanego wylądowały u mnie, o czym nie raczyłaś napomknąć.

Pierwszego dnia był spokój, bo o ile pamiętam, bez przerwy chciały się bawić na dwudziestostopniowym mrozie i marzły na zewnątrz, próbując ustalić, który dominuje, byłam więc zadowolona i oba koty, Zaraz i Przytul, również. W poniedziałek przyjechali goście, z Kotem Obcym. Mężczyzna, kobieta, dziecko. W środę miał dołączyć przyjaciel z Zakopanego, który ma dosyć tego miasta w czasie ferii i obiecał coś zrobić z moim dymiącym kominkiem.

Kot Obcy, na smyczy, był przechowywany w pokoju, ponieważ koty moje próbowały sprawdzić, na ile sobie można z nim pozwolić. Trzeciego dnia względnego spokoju psy zdecydowały się mieszkać w domu, koty marzły więc na zewnątrz, z wyjątkiem Obcego, który siedział u siebie i stresował się, bo psy czekały pod drzwiami, żeby się przywitać, zatem na zmianę pilnowaliśmy tych drzwi, psów oraz kota.

Wieczorem moje dwa koty miały dosyć i zażądały wpuszczenia. Niestety, twój pies Ravel uznał, że kot Przytul bardzo mu przypomina twojego psa numer trzy, którego na szczęście zjedliście przed wyjazdem do Zakopanego, tak mi przynajmniej powiedział twój Narzeczony. Ostrzegłam go, żeby nie ważył się wprowadzać do domu, gdzie są goście z Obcym Kotem i trzy psy, waszej suki, rasy nieokreślonej, która zachowuje się jak kot, drapie i można ją nieopatrznie zdeptać, bo wygląda jak mysz. Przytul dostał szału ze strachu, że skacze na niego pies i szczeka, i wesoło merda ogonem, i nie dał się ściągnąć z szafki w łazience, z której uprzednio spadły moje perfumy, moje mleczko do zmywania makijażu, moja suszarka do włosów oraz dzbanek z wodą do podlewania kwiatów.

Sprzątałyśmy do dwudziestej trzeciej, bo wszystkie psy weszły w tę mieszaninę, a potem radośnie rozbiegły się po domu.

Pierwszej i drugiej nocy nikt oprócz dziecka nie zmrużył oka.

Wszystkie trzy psy szczekały, piszczały, otwierały sobie łapami drzwi i chodziły po całym domu, próbując nas przekonać, że są ważniejsze rzeczy niż sen. Trzeciej nocy wzięliśmy wszyscy, oprócz dziecka, które i tak spało, tabletki nasenne, z tym że ja pół, ale i tak wystarczyło.

Po zdemolowaniu przedpokoju i nadgryzieniu dwóch par kapci psy zdemolowały ponownie łazienkę, wrzucając kwiaty do wanny, a następnie weszły do kuchni i zżarły wszystko, co było wysoko na kredensie, to znaczy dwanaście bułek, jeden chleb, dwie torby foliowe, sześć pomarańczy, dwa owoce kiwi, jedną paprykę żółtą i jeden wiklinowy koszyczek, i herbatę Earl Grey, co odkryliśmy dopiero po południu, znajdując tu i ówdzie wymemłane kartoniki z logo herbaty oraz malowniczo przyczepionym do kartonika sznureczkiem.

Następnej nocy zamiast nam chciałam im zaserwować tabletki nasenne, ale nie mogłam dodzwonić się do weterynarza, żeby zapytać, czy aby nie zdechną. Sfrustrowane koty siedziały na parapetach — skakał na nie twój większy pies i strącił mi storczyk, który bardzo pięknie kwitł. Wtedy okazało się, że Kot Obcy zaginął. Przetrząsnęliśmy cały dom oraz ogród, oraz komórkę, oraz miejsce przy komórce, gdzie mógł wleźć pod porządnie ułożone drewno do kominka. Nie było go. Dziecko się popłakało, oczywiście ja byłam winna, jakbym to ja skakała na parapety, jadła herbatę w saszetkach i wygoniła z domu Obcego Kota.

Czwarty dzień spędziliśmy na szukaniu go po okolicy. Psy zostały w domu, gdzie poszarpały jedną kapę (tę pomarańczową w róże) i nasikały w przedpokoju. Kota właściwego nie było, choć podchodziły do nas różne, w tym Franek, który miał wylew i teraz podchodzi do ludzi bez żadnego powodu, a nawet chciał się udać z nami do domu. Dziecko wpadło w histerię i siedziało w kuchni, i płakało.

Kot znalazł się wieczorem podczas rozkładania kanapy — siedział w środku, między poduszkami, i bardzo nie chciał wyleźć. Radości nie było końca.

Piąty dzień twoich ferii postanowiliśmy spędzić kulturalnie w Warszawie. Jakieś kino, pooglądać stolicę, zobaczyć wielki świat. Niestety, kiedy otworzyłam bramę, twój średni pies Ravel uznał, że czas najwyższy udać się na spacer, i czmychnął, i tyle go widzieliśmy.

Rzuciliśmy się wszyscy do furtki, żeby go łapać, i wtedy pozostałe dwa uciekły w drugą stronę, bo nie zamknęliśmy za sobą bramy. Po dwóch godzinach zabawy pod tytułem: tu jesteśmy, dogonicie nas czy nie? — wróciliśmy wszyscy do domu i nie chciało nam się nigdzie jechać. Byliśmy przemarznięci i wykończeni. Wszystkie psy również, oprócz Bartoka, który uznał, że może próbować wczołgać się za kotem pod samochód.

Z trudem wyciągnęliśmy go z powrotem, bo moim zdaniem był porządnie zaklinowany i powinien chociaż zostawić pod samochodem futro, ale okazało się, że tylko żartował.

Mężczyzna z Zakopanego po spędzeniu u mnie dwóch dni, w czasie których sprzątał po zwierzętach lub pilnował zwierząt, już, już miał wracać do Zakopanego, a jeszcze nie mieliśmy czasu zapalić w kominku i pokazać mu, jak dymi. Z trudem go przekonałam, żeby odłożył wyjazd do jutra, gdyż psy się sobą nacieszyły i teraz będzie wszystko w porządku. Kot nie chciał wyleźć spod samochodu, ale za to Ravel jakimś nieznanym sposobem przedostał się do sąsiadów i skowyczał zza płotu. Sąsiadów poszłam przeprosić, do ogólnego wycia dołączyło się szczekanie ich psa, który to pies jest suką i uznała, że to niesprawiedliwie, iż u mnie jest tyle fajnych zwierząt, a ona jest sama.

Zrobiło się późno, w związku z tym otworzyliśmy wódkę, na którą nikt wcześniej nie miał ochoty, i usiedliśmy w kuchni. Dziecko trzymało swojego kota na smyczy w pokoju na górze, żeby miał jakąś odmianę, i oglądali wspólnie *Doktora House'a*. Zamknęliśmy kuchnię i postanowiliśmy udawać, że nas nie ma.

— A niech robią, co chcą — powiedział A., zupełnie słusznie.

Chętnie się z nim zgodziliśmy.

Zakończyliśmy wieczór o drugiej w nocy, śpiewając *Biełyje rozy*. Kto to dzisiaj zna? Nikt. A my tak.

Zwierzęta robiły, co chciały, to znaczy spały. My też spaliśmy jak zabici. Wstaliśmy późnym rankiem. Okazało się, że kot pod samochodem nie był mój, tylko sąsiadki z prawej.

Psy, zmęczone pięciodniową zabawą, zalegały wszędzie, zostawiając plamy roztopionego śniegu a to na dywanie, a to w przedpokoju, a to w kuchni oraz na sofie w salonie. Moje koty przechadzały się między nimi jak gdyby nigdy nic. Kot Obcy śpiewał w pokoju gościnnym. Wiedziałam, że teraz się wszystko ułoży.

Siódmego dnia, kiedy wszystko się miało ułożyć, goście zdecydowali, że wyjadą dzień wcześniej, bo ich kot przestał jeść.

Ósmego dnia zapanował spokój. Wszystkie zwierzaki przyzwyczaiły się do siebie i przestały urządzać awantury. Przytul przytulił się do

Bartoka i spał na nim przez pomyłkę. I właśnie wtedy wróciłaś z Zakopanego i zabrałaś swoje psy do siebie.

Tego się nie robi kotu i psu. Mój pies również to bardzo odchorował. Czuje się samotny i porzucony. Koty co prawda znowu z nim śpią, ale sama rozumiesz, kot to nie pies.

Następny kompromis, na jaki wspólnie pójdziemy, to taki, że ja wyjeżdżam, a przedtem przywożę do ciebie wszystkie swoje zwierzęta.

Myszki w porównaniu z tym wydadzą ci się snem jakimś złotym.

Moja Córka urodzona w Libii.
Ta po prawej.

To moje dobre zdjęcie.
To po lewej.

Marzec

Mój kot od Córki. Za nic.

Mój kryształowy puchar. On go dostał
za 5 miejsce w tańcu na świecie
od sędziów, ja za najniższą punktację
w Tańcu z gwiazdami od niego.

Matka tańczy

Dorota

Wiodłam spokojne życie.

Syn, Narzeczony, dom, kredyt, praca, psy.

Jakieś kolacje na mieście od czasu do czasu, przyjaciele, znajomi. Ogólnie miło. A potem zadzwonił telefon:

— Cześć, córeczko, wezmę udział w „Tańcu z gwiazdami" — powiedziała Moja Matka, co zabrzmiało tak samo, jakby właśnie poinformowała mnie, że za tydzień leci na Księżyc lub postanowiła założyć hodowlę jedwabników.

Przyznam szczerze, że na początku zignorowałam tę informację, tak jak kilka poprzednich („Cześć, córeczko, jadę na rok do Australii" lub: „Cześć, córeczko, postanowiłam zamieszkać w buddyjskim klasztorze, albo przynajmniej zwiedzić Indie na rowerze").

To był błąd.

Kiedy się zorientowałam, że ona naprawdę zamierza tańczyć, było już za późno. Oczywiście gdyby ktoś zapytał mnie o zdanie, a pytał, powiedziałabym dokładnie to, co powiedziałam.

— To jest zły pomysł!

— Nie dasz rady!

— To są mordercze treningi!

Była to najwyższa forma wsparcia, jaką potrafiłam jej dać, ale świadczyła o mojej głębokiej trosce.

Ona ćwiczyła, pierwszy odcinek zbliżał się nieubłaganie, a ja powolutku traciłam apetyt i pokrzykiwałam na rodzinę.

Na szczęście w ten weekend Ola zabrała mnie na Mazury, gdzie miałyśmy celebrować swoją kobiecość, cokolwiek to znaczy, ale zbliżał się Dzień Kobiet, więc wypadało. Pojechałyśmy.

Rano dzwonię do Narzeczonego, który informuje mnie, że Syn przebył coś w rodzaju nocnej grypy żołądkowej. Najpierw w swoim pokoju, potem w gościnnym, a potem w naszym łóżku. Zanim zdołałam ustalić, czy, co i jak zostało sprzątnięte, słuchawkę przejmuje Syn, uspokajając mnie, że już właściwie jest wszystko dobrze i Tata dał mu rano przepyszną kanapkę z nutellą, i w ogóle, ale to w ogóle już go nic nie boli. Adam kompletnie nie rozumie, dlaczego mam coś przeciwko kanapkom z nutellą, skoro już jest wszystko dobrze.

Chwilę później dzwonię do Matki.

Odbiera jej kuzynka, która informuje mnie, że Matka spędziła noc w szpitalu. Zanim zdołałam wypytać ją o jakiekolwiek szczegóły, słuchawkę przejmuje Matka, która uspokaja mnie, że wszystko jest dobrze, już wyszła, rano dali jej fantastyczną kroplówkę i co prawda musiała podpisać takie oświadczenie, że wystąpi w programie na własną odpowiedzialność, ale w ogóle, ale to w ogóle się tym nie przejmuje, więc i ja nie powinnam, bo po co.

Idę z Olą do baru i piję sześć mojito, ten ostatni bezalkoholowy.

Niedziela pierwsza

Budzimy się późno. Z przerażeniem stwierdzam, że świadomość, iż właśnie nadeszła taneczna niedziela, przyszła, zanim zorientowałam się, jak bardzo chce mi się pić. Nie jest dobrze. Wracając, modlę się po cichutku, aczkolwiek żarliwie, o jakąś blokadę drogi, objazd, ograniczenia ruchu, byleby tylko nie zdążyć na dwudziestą do Warszawy. Ola niestety ma zupełnie inne plany, w których znak Warszawa mijamy dużo wcześniej, a że to ona prowadzi, nie mam specjalnie prawa głosu. O dziewiętnastej pięćdziesiąt trzy parkujemy przed moim domem. Chłopaków jeszcze nie ma, najpewniej są w kinie. Postanawiam postać sobie troszkę przed bramą i na nich poczekać. Ale jest zimno. I siąpi. I wieje. Dwudziesta. Wbiegam do domu i nie włączając telewizora, wciskam przycisk nagrywania. A nuż będę chciała obejrzeć, kiedy już będę wiedziała, że przeżyła.

Przez następne dwie godziny zajmuję się bardzo ważnymi rzeczami, na przykład nieodpisywaniem na milion esemesów, które wszyscy postanowili do mnie wysłać, gratulując mi Matki.

W końcu Ola pisze, że zatańczyła i żyje (Matka).

Mogę już oddychać.

Ba! Jestem potwornie dumna z Mojej Matki, choć oczywiście nie mogę jej tego powiedzieć.

Jedyne, co mogę z siebie wydusić, to prośba, żeby najlepiej już powolutku zrezygnowała. Ze względu na swoje zdrowie oczywiście. Po kryjomu usiłuję obejrzeć to, co nagrałam, ale nic się nie nagrało, bo dysk był pełny. Kasuję wszystkie nagrania, żeby przynajmniej następny odcinek mi się zmieścił.

Tydzień mija miło, przechodzimy kolejno grypę żołądkową, zupełnie nie czytamy tych wszystkich brukowców z doniesieniami o romansie Matki z tancerzem i innych bzdurach, ale w okolicach piątku zaczynam mieć problemy ze snem. To zresztą dotyczy całej rodziny, a wujek drukarz, który w latach osiemdziesiątych działał w podziemiu, w ciągu kilku dni opanowuje poruszanie się po internetowych forach i jest w swoim żywiole. Nawet zapachu farby drukarskiej mu nie brakuje.

Niedziela druga

Moi mężczyźni idą obejrzeć Babcię live, Syn zabiera maskotki, żeby rzucić na parkiet, a ja z zapamiętaniem oddaję się ignorowaniu „Tańca z gwiazdami". Sprawdzam jednak wolne miejsce na dysku i od niechcenia włączam nagrywanie. Za trzy dwudziesta usadawiam się wygodnie w kuchni, wyjmuję ajerkoniak, który doprawiam amaretto i cynamonem, a następnie dzwonię do Zośki, przyjaciółki Mojej Matki, która była Ulą w jej książkach.

Zośka pije wódkę z sokiem i nie ignoruje.

Po chwili postanawiamy oglądać razem, bo będzie nam raźniej, a poza tym tak pić w samotności to głupio, ale ustalamy, że obejrzymy „Taniec" tylko oczami Zośki.

Jest świetnie.

Panie mają piękne sukienki,

Panowie są gibcy i robią figury.

Zośka zakłada okulary, żeby zobaczyć, czy widać Narzeczonego z Antkiem, za oknem, jak przystało na połowę marca, śnieżyca.

Po trzecim ajerkoniaczku Matka w końcu tańczy, ja kończę palić trzynastego papierosa, Zośka podgłaśnia telewizor, żebym słyszała, co mówią jurorzy. Po wszystkim uznaję, że to doskonały moment na odśnieżanie, i umawiam się z Zośką na telefon, kiedy będą wyniki, ale najpierw wysyłam piętnaście esemesów.

Zośka tylko osiem, bo przy dziewiątym coś jej się blokuje i dostaje komunikat, że numer nieprawidłowy.

Sypie, zima aż miło, cieplutko mi od tego ajerkoniaczku, łopata aż pali się w rękach. Kiedy doszłam do głównej drogi, zdając sobie sprawę, że odśnieżyłam swój podjazd i podjazd sąsiadów, a także drogę dojazdową, zadzwonił telefon.

— Nie odpadła!

Co prawda wypaliłam prawie paczkę papierosów, kac po ajerkoniaku jest okrutny, a chłopcy nawet nie zauważyli, że odśnieżyłam, bo padało bezustannie — ale było warto!

Matka zadzwoniła o jedenastej, zapowiedziała się, że u nas nocuje, ale jeszcze idzie potańczyć.

Wróciła o trzeciej, po czym ucięła sobie dwu godzinną pogawędkę z moim Narzeczonym, którego cztery godziny później zbudziła, odbierając poranne telefony z gratulacjami.

Co prawda zamiast „Tańca" nagrała mi się końcówka programu „Uwaga" — ale jest to zupełnie bez znaczenia. Za to powoli do mnie dociera, że mam dwójkę dzieci.

Niedziela trzecia

Zastanawiające jest to, że podczas gdy Moja Matka trenuje, chudnie, prawie nie pali i jest w świetnej formie, ja palę dwa razy tyle, piję w każdą niedzielę i odnawiają mi się wszystkie kontuzje.

Jak widać, taniec nie jest zdrowy dla wszystkich.

Mnie zdecydowanie szkodzi.

Postanowiłam tym razem nie robić cyrków. Syn dostał pozwolenie, by obejrzeć program w sypialni, ja udawałam wielkie zainteresowanie cyklem „Niesamowite budowle" na Discovery, a Narzeczony pracował. Nie piłam. Wysłałam za to dwadzieścia jeden esemesów. Za nic, bo nie widziałam, jak tańczy, ale wierzę, że najlepiej jak mogła.

Swoją drogą myślę, że to właśnie esemesy od rodziny składają się na jej wynagrodzenie. Nie mogłam zadzwonić do Zośki, bo ta siedziała na widowni z wielkim transparentem.

Zdrajczyni.

Ale za to dostawałam raporty od wszystkich znajomych. Nie odpadła! Ba! Ludzie naprawdę na nią głosują!

Dzwonię do Matki dumna i szczęśliwa, automatycznie napomykam o rezygnacji, ona to ignoruje i mówi, że dziś też u nas nocuje, tylko najpierw idzie potańczyć. Śpimy więc z Narzeczonym półsnem, przy lampce, bo oboje nie mamy zasięgu telefonów w sypialni, aż w końcu po czwartej wszystkie trzy psy informują nas, że Matka przybyła. Narzeczony jest zbyt nieprzytomny na pogawędkę, więc wraca do łóżka i nareszcie idziemy normalnie spać. Rano, po pięciu godzinach snu, schodzi Moja Matka i zaczyna opowiadać potwornie niezrozumiałe historie, w jej mniemaniu niesamowicie zabawne, z których połowa to nieopanowany chichot.

Jestem już zupełnie pewna, że mam dwójkę dzieci, a nawet więcej — że moja nastoletnia córka właśnie wróciła z obozu i usiłuje podzielić się z nami tym, co się zdarzyło. Ale my nic nie rozumiemy. Kocham cię, Mamusiu.

Owszem, tańczy

Kasia

Najwyższy czas, żebyś dowiedziała się, że życie kobiety nie jest łatwe. Najpierw jest ona córką i musi słuchać rodziców. Rodzice na ogół boją się o swoje dzieci, więc tego nie wolno, tamtego nie wolno, tu nie wypada, tam należy, a ówdzie trzeba.

Córki szczególnie podlegają ochronie, bo wiadomo, kobiety, a w świecie, jak wiadomo, czyhają na nie różne niebezpieczeństwa.

Córki się buntują — świat przecież przyzywa i stoi otworem — a tu tyle nakazów i zakazów!

Zakochują się, cierpią, spóźniają się w sobotę wieczorem do domu, matkom przybywa siwych włosów, mimo że są młode, i marzą, żeby ich córki już były dorosłe i mądre, i żeby nie trzeba było się o nie bać.

Niestety, córki dorastają dość szybko i kiedy już, już myślą, że teraz właśnie nastanie czas wolności i będą mogły robić, co chcą (pojechać do

Indii na rowerze itd.), wychodzą na ogół za mąż, co wyklucza (zupełnie nie wiem dlaczego) podróż do Indii na rowerze i mnóstwo innych rzeczy. Potem zostają matkami. Są dorosłe. Nikt im nie dyktuje, jak mają żyć, co mają robić, i uśmiechają się czule do swoich maleństw, a Indie razem z rowerem idą w zapomnienie.

Potem przychodzą długie lata, kiedy muszą one, tak jak ty dzisiaj, dawać dobry przykład dziecku. Dana matka nie może wtedy chodzić w nocy na tańce, wracać o trzeciej nad ranem, wygłupiać się i robić, co jej się żywnie podoba, tylko musi dbać o swoje dziecko i zachowywać się, jak na osobę dorosłą przystało.

I myśli: niech no tylko skończą się pieluszki, karmienie nocą, niech no tylko pójdzie do przedszkola, do szkoły, to ja... Ale nie! Córki rosną i cała zabawa zaczyna się od początku.

Zanim się zorientujesz, już nie ma rodziców, którzy by cię pouczali, mówili, że nie wypada. Myślisz pogodnie: teraz mogę! Mogę nareszcie robić to, co chcę!

I tu pojawia się problem. Twoja córka jest już dorosła. Patrzy na ciebie, jakbyś zmartwychwstała (a nie wypada przecież!), i zaczyna się o ciebie bać. Nie dasz rady — mówi wspierająco, albowiem cię kocha. Nie możesz sobie na to pozwolić, boję się o ciebie!

Kochanie, przypominam ci, że ja też spędzałam bezsenne noce, kiedy ty nie wracałaś do domu o ósmej wieczorem, tylko bawiłaś się, nie wiem do dzisiaj gdzie. I byłam cierpliwa.

Choć czasem też nalewałam sobie drinka z tą samą Zośką w nadziei, że nic ci się nie stało, żeby przetrwać te długie godziny bez żadnej informacji.

A również przypominam ci, że w domu zastałam nagraną wiadomość, która o ile pamiętam, brzmiała jakoś tak:

— Dzwonię z posterunku sześćdziesiątego czwartego Komendy Policji Oddziału Pruszkowskiego. Córka pani zaginęła, ale przeczesaliśmy lasy w okolicach Komorowa i ciała jeszcze nie znaleziono. Będziemy z panią w stałym kontakcie.

I tak zmieniłaś głos, że cię nie poznałam.

Ja w życiu nie wykręciłam ci takiego numeru. Mówię ci przecież, że przyjdę późno, a nawet bardzo późno. I wiesz, gdzie jestem. I co robię. Kiedy ty wracałaś do domu i opowiadałaś mi różne zabawne rzeczy, które ci się przydarzyły — ja też nic nie rozumiałam.

Być może teraz przyszedł czas odpłacenia pięknym za nadobne.

Zauważ, że nie pojechałam do Australii (na razie), albowiem boisz się latać, choć brzmi to surrealistycznie. Nie pojechałam do Indii, bo się boisz Indii.

Ale taniec? Gdybym wiedziała, że to wzbudzi takie emocje u innych, zdecydowałabym się dużo wcześniej. Nic dziwnego, że taniec jednym szkodzi, a drugim pomaga. Szkodzi nie tylko tobie, ale również mojemu nauczycielowi. Mój taniec, rzecz jasna. No cóż, taki zawód. Wyobraź sobie, co on musi przeżywać. Pociesza mnie jedynie fakt, że jestem o czterdzieści lat młodsza od jego najstarszej uczennicy i siedemdziesiąt kilo szczuplejsza od jego najgrubszej uczennicy.

I pomyśleć, że gdzieś na świecie żyją szczęśliwi dorośli ludzie!

Niestety, mam dla ciebie jeszcze jedną informację, o której nie śmiałam ci powiedzieć przez telefon. Otóż pragnę cię niniejszym poinformować, że taniec to nie wszystko.

Nie mam najmniejszego zamiaru stosować się do tego, co sądzą inni, że ja powinnam.

Jak się powinnam ubierać.

Jak się nie powinnam ubierać.

Co powinnam mówić.

Czego mam nie mówić.

Czy mogę tańczyć.

Czy nie powinnam tańczyć.

Jak mam żyć.

Bez względu na to, jakie to budzi w innych emocje.

Myślę, że niedługo skoczę ze spadochronem, bo Janek mówi, że to fantastyczne uczucie.

Jestem już pewna, że życie polega na tym, by się cieszyć.

Choć życie niektórych polega na tym, żeby osądzać i krytykować. A szczególnie sfrustrowani są ci, którzy nie mają odwagi zrobić tego, co im sprawia przyjemność. Bo nie wypada.

Więc ja postaram się utrzymać w tej pierwszej grupie.

Cieszyć się? Cóż za niepopularny pogląd. Jakie to be. Jakie to niewłaściwe, szczególnie u nas. Przejmuję od Janka jego czeskie poglądy. Radość nikomu nie szkodzi.

Szczęśliwie nie mam małych dzieci, którymi musiałabym się zajmować. Lub starszych dzieci, którym muszę dawać dobry przykład.

Odczekaj parę lat, a będziesz mogła robić wszystko, co sprawia ci przyjemność, oraz co będzie martwić twoich najbliższych, czego ci serdecznie życzę. Mam nadzieję, że nie będziesz się tym przejmować.

A może to już nikogo nie będzie martwić, tylko cieszyć, i będziesz dawała dobry przykład? Bardzo cię kocham.

Z serdecznymi pozdrowieniami, twoja Matka.

Poczęte i pożarte...

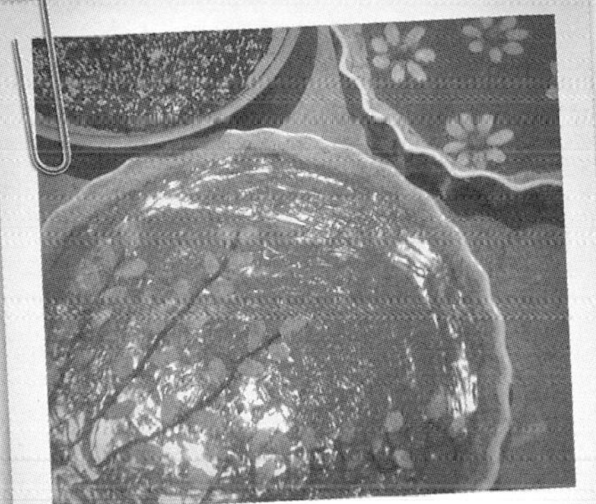

niczym młode w świecie drapieżników...

Kwiecień

Szczęście na wynos warsztaty witrażu. Metoda Tiffany...

i zawartość pieca do fusingu przed wypiekiem

Ludzie z papieru

Dorota

10 kwietnia budzi mnie telefon od Oli. Mówi coś o samolocie i prezydencie, ale nic nie mogę zrozumieć.

— Włącz telewizor — każe.

Włączam, ale nadal nie rozumiem. I tak przez cały pierwszy dzień nic do końca dociera do mnie, że to się dzieje naprawdę, mam wrażenie, jakbym oglądała jakiś film.

Następnego dnia wieczorem postanawiamy jechać pod Pałac. Jest późno, martwię się, że nie będzie gdzie kupić świeczek — niepotrzebnie. Parkujemy pod Teatrem Narodowym i podążamy w stronę Krakowskiego Przedmieścia. W Świętej Annie msza, z jubileuszowej ławki na rogu dobiega muzyka Szopena, tłum płynie w stronę Pałacu. Tłum, którego nie ogarniam. Nawet nie wiem, kiedy stajemy się jego częścią. Mdli mnie od zapachu tysięcy świec. Syn koniecznie chce się przedostać do przodu. Ktoś dobrodusznie go puszcza.

— No co się pani tak pcha, to nic nie da — dla równowagi jakiś głos strofuje drobną zakonnicę, która bezskutecznie usiłuje posunąć się choć krok do przodu. Kolejne cztery pary nóg przechodzą po mojej parze nóg. Dochodzi dwudziesta trzecia, a ludzi ciągle przybywa. Nie czuję się wzniośle, nie potrafię się skupić, chcę do domu. Syn wraca i powoli przesuwamy się w stronę placu Piłsudskiego.

Mijamy krzyż papieski. Płomienie świec oświetlają stoisko z patriotycznymi gadżetami i dewocjonaliami. To niesamowite, jak szybko rynek reaguje na popyt, przebiega mi przez głowę, ale odganiam tę myśl jak natrętną muchę.

— Kup mi flagę — prosi Syn. Sprzedawca widzi, że się waham, i obrzuca mnie karcącym spojrzeniem. Kupuję. Prewencyjnie wygłaszam mowę na temat tego, czego z nią nie można robić, i płynnie przechodzimy do pojęcia patriotyzmu. Mówię, że to miłość do kraju — czyli dbanie o niego we wszystkich aspektach. Tłumaczę, że nie tylko żołnierze, którzy ginęli za wolność, są patriotami, że nie trzeba wielkich czynów — są inne sposoby by pokazać swój patriotyzm.

— Na przykład segregowanie śmieci? — pyta Syn.

Przytakuję.

— A nie lepiej byłoby nasze śmieci po prostu wywozić gdzieś za granicę? — pyta po chwili.

I tu usiłuję mu przybliżyć pojęcia patriotyzmu lokalnego i globalnego, tłumacząc, że te wywożone śmieci w końcu by zakaziły też Polskę, że nasz kraj jest jakąś częścią świata i musimy się czuć odpowiedzialni za całą Ziemię.

— Pamiętaj, że patriotyzm w żadnym stopniu nie oznacza nienawiści do innych narodów — mówię podniośle.

Syn patrzy ze zrozumieniem.

— No tak, jak ciebie kocham, to nie muszę od razu nienawidzić innych mam...

Pomyślałam wtedy, że to strasznie smutne, iż tak oczywista dla dziewięciolatka rzecz jest tak kompletnie niezrozumiała dla wielu dorosłych. Mojego Syna nie dziwiło, że mamy potrzebę zapalenia świeczki dla prezydenta, z którym się nigdy nie zgadzaliśmy, nie oceniał, kto powinien, a kto nie powinien być pod Pałacem i kto może płakać. Nie dziwiło go, że żal nam — tak po prostu — wszystkich bliskich ofiar tej katastrofy, niezależnie od przynależności do partii politycznej, płci czy wieku. Tak bardzo chciałabym umieć czasem spojrzeć na świat jego oczami...

Nie spodziewałam się, że ta tragedia zmieni jakoś mentalność Polaków, choć oczywiście w najśmielszych snach nie mogłam przewidzieć wydarzeń, które przez następne pół roku prawdopodobnie nie zejdą z nagłówków gazet. Ani wojny o Wawel, ani złośliwego wulkanu. Owszem, czekałam na nowe rewelacje na temat teorii spiskowych, ale jednocześnie miałam cichą nadzieję, że to wszystko, co się właśnie dzieje, nada ludzkie cechy bohaterom pierwszych stron gazet. Bo każda żałoba kiedyś mija, już wiemy, że jako naród potrafimy, przynajmniej w początkowej fazie, ją wspólnie przeżywać. Mieliśmy potrzebę być razem, kiedy umarł Papież, i wtedy, kiedy spadł samolot. To piękne, jednak mimo wzniosłych nastrojów, nawróceń i przemian „pokolenie JP2" okazało się fikcją, a już pięć lat później litery JP bynajmniej nie kojarzą się młodzieży z Papieżem. Stąd wnioskuję, że i tym razem nasze „współ-czucie" — trudniejsze, bo przecież nad podziałami, nie ma szans przerodzić się w nic trwale budującego. Oto jednak, jako — wciąż wierzę — dość inteligentny naród, mieliśmy niepowtarzalną szansę, aby wyciągnąć wnioski. By zauważyć coś, co nie ma wcale związku z polityką ani patriotyzmem. Zrozumieć, że ludzie, których poznajemy głównie za pośrednictwem mediów, nie są „papierowi". Oni istnieją! Mają rodziny, zainteresowania, plany, problemy i uczucia. Są śmiertelni. Nie są tylko wytworem farby drukarskiej czy układem pikseli. Myślałam, że teraz, zanim ktoś opluje kogokolwiek w kolejnym anonimowym komentarzu na jakimś serwisie plotkarskim, trzy razy się zastanowi. Wychodziłam chyba z założenia, że ludzie nie robią tego, bo są źli, tylko po prostu nie myślą. Wydaje im się, że to trochę taka gra. „Obrażamy postaci fikcyjne". Tak jakby fakt bycia osobą publiczną przenosił do innego wymiaru.

Nieważne, czy jesteś politykiem, aktorem, piosenkarzem, czy po prostu celebrytą. Moment, w którym twoje zdjęcie pojawi się w gazecie, sprawia, że przestajesz samodzielnie myśleć, nie masz już własnych poglądów — teraz twoje myśli zna wyłącznie dziennikarz, który to zdjęcie podpisuje. I wkłada ci w usta zdania, które pasują mu do naprędce wymyślonej historii, robi z tobą wywiad bez ciebie, wykorzystuje jakąś wypowiedź, nawet twoją, tylko, ups, w troszkę innym kontekście. Za to komentujący znają wszystkie twoje intencje. Upajają się, komentując nową, dziennikarsko wykreowaną rzeczywistość. Ciebie już nie ma, zniknąłeś. Tylko dlaczego, do cholery, ta papierowa postać korzysta z twojego wizerunku? Ma twoje oczy i podbródek, nosi twoje ubrania. I dlaczego to tobie jest przykro, kiedy się ją obraża?

Zapytałam kiedyś moją przyjaciółkę, która boleśnie przeżywała jakiś paskudny artykuł na swój temat, dlaczego się tak ciągle przejmuje — bo myślałam, że na to można się choć częściowo uodpornić. Odpowiedziała:

— A jakbyś się czuła, gdyby powinęła ci się noga, a inni pisaliby o tym jak o fantastycznym wydarzeniu? Że nareszcie jej się nie udało, ma, na co zasłużyła... A tysiące ludzi komentowałoby to w stylu: dobrze jej tak?...

I wtedy zrozumiałam, że na to nie da się uodpornić. Nigdy. Już nawet nie zauważamy jadu, który się z nas sączy. Ten ma więcej, więc pewnie ukradł, ta przytyła — i dobrze, temu się coś za bardzo powodzi, a co ten sobie właściwie myślał! Bo przecież MY wiemy lepiej — co kto myśli i czuje. MY jesteśmy władni, aby oceniać. MY wiemy, jak było naprawdę. I w końcu dzieje się coś, co nas otrzeźwia. Wtedy z nadmiaru poczucia winy naprędce budujemy piedestały. Bo nie ma przecież nic pośrodku, a wstydliwe pieczenie sumienia jakoś trzeba ugasić. I w końcu jesteśmy tak wściekli na to, co wybudowaliśmy, niedorzecznie, w oderwaniu od rzeczywistości, z nieodpowiednich intencji, że zaczynamy wszystko od początku, znów plując jadem. Zamknięte koło. Tak strasznie trudno wyjść poza czerń i biel...

Naprawdę myślałam, że coś się w tej materii zmieni, ale okazuje się, że jesteśmy zbyt odporni na uczenie się na błędach. Wyciągamy tylko takie wnioski, które są dla nas wygodne. Wszystko wróciło na swoje miejsce — a może nawet jest jeszcze gorzej. Dla niektórych my też jesteśmy z papieru — oni wiedzą lepiej, co myślimy i czujemy. Dla nich oczywiste jest to, że jeśli kogoś nie lubimy, to znaczy, że życzymy mu śmierci.

A ja powtarzam sobie ostatnio coraz częściej: „Cieszę się że nie muszę nienawidzić innych mam, żeby pokazać ci, jak bardzo cię kocham".

Pan Piksel

Kasia

Czwarty dzień siedzę nad tekstem, który mi przysłałaś, i nie mogę nic napisać. Mam mętlik w głowie, bo chciałabym głęboko wierzyć, że jest jakiś najważniejszy, choć najtrudniejszy również — sens wszystkich katastrof, śmierci, bólu i cierpienia. Które dotyka i dotknie każdego z nas, w dowolnie nieznanym momencie życia — bo tak jest urządzony świat, choć wolimy o tym nie pamiętać.

Szukam odpowiednich słów, z których chcę zbudować jakieś mądre zdania, i wierz mi, mam pustkę w głowie. Napisałaś o wszystkim, a mnie najbardziej poruszyło to korzystanie postaci z pikseli i farby drukarskiej z wizerunku postaci żywych.

Nigdy nie umiałam tego wypowiedzieć, a zawsze się tego bałam. Rzeczywisty świat — ten, który otacza nas na ulicy, w sklepie, w towarzystwie osób bliskich lub tylko przypadkowo spotykanych — przestaje być ważny. Mamy tuż obok świat wirtualny, który żeruje wprawdzie na osobach ze świata realnego, ale jest łatwy, przyjemny, dostępny i nie wymagający od nas niczego — poza otwarciem gazety lub wciśnięciem przycisku w komputerze. Dowiadujemy się stamtąd, kogo mamy lubić lub przestać lubić, kto jest dowcipny, a kto głupi, kto ma za tłusty tyłek, a kto zeszczuplał, uczymy się od Piksela, co mamy myśleć, a czym nie warto się zajmować. Jesteśmy jak figury na szachownicy — zawsze czarno-białej, zawsze ograniczonej do określonej ilości pól, i nawet jeśli udajemy, że mamy dystans, że to zabawa, że dobrze wiemy, w jakim świecie żyjemy — to światy dawno się już przemieszały. Wydaje się, że wszystko wiemy o Pikselu, bo przecież napisano, powiedziano, pokazano. Znamy go z pierwszych lub ostatnich stron gazet, z telewizji i w ogóle. Piksel spotkany przypadkiem na ulicy wywołuje zdziwienie lub pretensję:

— Jaki pan nieduży, w rzeczywistości jest pan wyższy — mówi do pewnego aktora pewna pani.

W rzeczywistości jest wyższy — czyli w telewizji, czyli na ekranie, czyli Piksel żyje osobno, a nawet przerósł swój wizerunek o kilkanaście centymetrów.

Na Piksela można ponarzekać, zwalić winę, obarczyć go odpowiedzialnością, o Pikselu można plotkować, wiedzieć lepiej, Piksel jest cudownym materiałem na wielki ekran, gdzie przenosimy własne uczucia, emocje, frustracje.

Piksel pomaga nam żyć — możemy go obśmiać, wyszydzić, pokochać, postawić na piedestale, a potem zrzucić. Pikselowi nie współczujemy, Piksel mówi zdania, za które jest karany — nie obchodzi nas, że wyrwane z kontekstu, napawamy się niezręcznościami Piksela, bo wtedy nie widzimy własnych. Nie musimy się sobie przyglądać, nie musimy za siebie brać odpowiedzialności. Mamy przecież Piksela!

Świat Piksela jest czarno-biały, jest zły albo dobry, głupi albo mądry, podlega naszym ocenom bez przerwy. Dopiero kiedy dzieje się coś nieodwracalnego — spoza Piksela mgliście i powoli wyłania się człowiek. Im bardziej był ośmieszany, tym bardziej jest teraz hołubiony. Wstyd nam, więc nadrabiamy zaległości, po to żeby... tak jak napisałaś.

A my? No cóż...

Zdarza się czasami coś, co jest prawdziwe. I wtedy łączymy się w bólu. Nie lubimy tego robić na co dzień. Nie opłakujemy straty najbliższych, nie dzielimy się smutkiem, szybko wracamy po naszych własnych prywatnych tragediach do pracy, do życia, „bo trzeba iść do przodu". A poza tym to wstyd — cierpieć. Mężczyźni nie płaczą, kobietom nie wypada długo histeryzować. Komuś ktoś umarł — ale był przecież stary, chory, nieuleczalny. Więc lepiej się stało, nie martw się. To taki nieprzyjemny temat. Należy wziąć się w garść. Trzeba żyć. Patrzeć w przyszłość.

Śmierć nie istnieje w świecie Piksela. Dowiadujemy się tylko z satysfakcją, kto ma problemy z alkoholem, kto z nadwagą, a komu na zdjęciu wyszedł cellulit. To jest fajne i miłe — ach, więc nie tylko ja? Proszę, proszę — taka gwiazda! Pierwsze strony gazet, a taka... — tu wstawić dowolne.

Ale śmierć jest za trudnym tematem. Nie radzimy sobie ze śmiercią, nie lubimy o niej mówić, nie wiemy, jak współczuć, nie rozumiemy, co to znaczy przeżywać żałobę. Nie rozumiemy, co się dzieje, dlaczego tyle bólu, złości, targowania się z Bogiem w samotności, żeby jeszcze nie dziś, żeby wyzdrowiał, żeby pogłaskał, żeby wybaczył. Dlaczego to spotkało akurat mnie? To niesprawiedliwe, ohydne, nie tak miało być. Więc jeśli się zdarza katastrofa lub jeśli umiera Papież, nagle te wszystkie głęboko chowane ludzkie, nasze, własne uczucia dochodzą do głosu. Wtedy nam wolno czuć. Idziemy palić świeczki i znicze przekonani, że chodzi o tamtych zmarłych, a chodzi o naszych zmarłych lub żywych, nie pożegnanych jeszcze, a już rozstanych, o nie wybaczone błędy, nie wysłuchane historie, nie wyjaśnione sprawy, nie powiedziane słowa.

Wszechobecny i wszechogarniający żal ma wielką siłę sprawczą.

Wtedy możemy sobie pozwolić na chwilę słabości. Rozglądamy się wokoło. Widzimy innych, którzy nie wstydzą się łez, którzy stoją przy nas, nie jesteśmy sami, możemy pozwolić sobie na „połączenie w bólu". Bo już na towarzyszenie w bólu nie wszystkich stać. Nikt nas nie nauczył, jak prawdziwie przeżywać żałobę. Nie wiemy, że zawsze pojawia się gniew, ale temu uczuciu też należy pozwolić odejść, a potem mozolnie i pomalutku odbudowywać swój świat, który nie będzie taki sam, będzie inny, ale też będzie nasz.

Zastanawiam się teraz, jakie kolory ma mój nie bez trudu budowany przez lata świat? Biel i czerń odróżniam bezbłędnie. Więc nad jakimi powinnam pomyśleć, zastanowić się głębiej, jak nauczyć się odróżniać czerwień od purpury, seledyn od zielonego, niebieski od modrego, ale przecież samych odcieni bieli jest tyle, że nie mogę się zorientować, czy to jeszcze biały gołębi, biel kremowa czy już szarość?

Czy potrzebna jest nienawiść, żeby była miłość? Czy może wystarczy obojętność? Kiedy dotyka nas nieszczęście, jesteśmy skłonni wyciągnąć na wierzch wszystkie skrzętnie ukrywane przez lata „gdyby". Gdyby wtedy nie poszedł, nie wsiadł do tego samolotu, samochodu, nie pojechał wtedy na wczasy na Sumatrę, kiedy było tsunami, nie przyszedł jedenastego września w Nowym Jorku do WTC, mimo że chorował... Gdyby — zaczyna przysłaniać nam rzeczywistość. Bóg przestaje istnieć, bo przecież by na to nie pozwolił, a my musimy natychmiast znaleźć winnego. Karetka przyjechała za późno, lekarz nie rozpoznał właściwie, czekała na autobus za długo, w szpitalu nie było respiratora, on ją wyciągnął na tę wycieczkę, ona pojechała z nim na surfing, on nie zauważył, że ona pobladła, oni ją namówili na tę wyprawę w Tatry... i tak dalej, i tak dalej.

Można się zatrzymać na tym etapie. Trwać w smutku i złości na cały świat. Szybko zapominamy o więzi, która nas zjednoczyła w obliczu tragedii, o trzęsieniach ziemi w Japonii czy na Haiti, o tsunami w Tajlandii, o katastrofach samolotów. Znowu wchodzimy w swoje znane skorupy, których okna wykrzywiają świat, a przecież to my nadajemy wartość temu, co widzimy.

Jakie to szczęście, że ja również wiem, że nie muszę nienawidzić innych córek, żeby ciebie bardzo, bardzo kochać...

Szczęście z dostawą do domu

Dorota

Leniwa sobota. Siedzę sobie wygodnie na kanapie, owinięta kocykiem, u moich stóp zakopany w poduszkach Syn rozwala za pośrednictwem dżojstika zastępy odwiecznych wrogów Jedi, rosół pyrka przyjemnie w kuchni, Narzeczony coś dłubie w komputerze, a tu nagle domofon. Niechętnie wstaję. Nie ukrywam, że gdyby nie szaleńcze ujadanie moich wszystkich trzech psów, zignorowałabym go, choć wiem, jakie to niewychowawcze.

— Słucham — mówię tonem bynajmniej nie zachęcającym i w dodatku kłamię na dzień dobry, bo psy nadal szaleją, a i żołnierze ciemnej strony mocy jakoś nie chcą ginąć w ciszy.

— Dzień dobry, chciałabym panią zapoznać z publikacją, która zawiera siedem sekretów szczęśliwego życia rodzinnego… — recytuje Słuchawka.

— Dziękuję, ale mam bardzo szczęśliwe życie rodzinne — odpowiadam, choć odgłosy w tle zupełnie o tym nie świadczą.

— Nie wątpię, ale zawsze można się czegoś jeszcze dowiedzieć... — Słuchawka jest niezrażona.

— Dziękuję, mam własne sekrety takiego życia — rzucam bez zastanowienia.

Słuchawka się zastanawia.

— A jakie? — pyta sprytnie.

— Sekret pierwszy: weekendy są tylko dla rodziny — odpowiadam szybko i od razu rozpiera mnie duma.

— No tak... to do widzenia — mówi ze smutkiem Słuchawka. Wyglądam przez okno i widzę, jak już w ludzkiej postaci odchodzi jakaś taka zgarbiona. A ja teraz nie mogę się z powrotem ułożyć z tym kocykiem i Synem u stóp, psy nadal drapią w drzwi, rosół kipi i w ogóle czuję się podle, że tak zepsułam Słuchawce dzień. A ona przecież tylko sprzedaje szczęście z dostawą do domu.

Chwilkę tkwiłam sobie w tym poczuciu winy, gdy nagle dotarło do mnie, że moje dziecko nawet nie zapytało, kto to był. Ja rozumiem, że gra, ferwor walki itp., ale ja w jego wieku (nie sądziłam, że kiedykolwiek posłużę się tym zwrotem) na każdy dźwięk domofonu reagowałam mniej więcej tak jak moje psy, choć nie szczekałam i nie śliniłam się tak obficie. Przecież to mogła być Sylwia z drugiej klatki, której mama pracowała jako kasjerka w pobliskim sklepie Igloo, więc poszłybyśmy na zaplecze i byłoby ekstra, albo Arek, syn wychowawczyni, w którym kochałam się skrycie aż do piątej klasy i który na trzepaku robił najlepsze fikołki, jakie w życiu widziałam, albo nawet Ania z bloku naprzeciwko, z którą chodziłyśmy za murek zakopywać sekretne „widoczki" z uschniętych kwiatów i szkła z rozbitych butelek… To mógł być każdy, a za tym każdym kryła się obietnica ekscytującej przygody. A oto dwadzieścia parę lat później mój Syn zupełnie ignoruje dzwonek, przechodząc właśnie do następnego levelu.

— Nie jesteś ciekawy, kto to był? — zapytałam.

— Pewnie drewno do kominka — powiedział mój Syn, nie spuszczając wzroku z Dartha Vadera.

— Dlaczego tak myślisz?

— No bo jedzenia przecież nie zamawiałaś — odpowiedział spokojnie, po czym zadał śmiertelny cios jednemu z klonów.

Wtedy poczułam nagle, jak bardzo tęsknię za latami osiemdziesiątymi, pomimo wszelkich mankamentów tamtej rzeczywistości. Za soczkami w torebkach, telefonami z tarczą, umawianiem się pod Rotundą i p r a w d z i w y m i gośćmi. Bo uczciwie mówiąc, z czym innym poza dostawą pizzy może się dziś kojarzyć dziewięciolatkowi niespodziewany dźwięk domofonu?

Przecież nikt normalny teraz po prostu nie wpada. Najpierw my dzwonimy, żeby zaprosić, potem oni, że potwierdzają, potem my, dlaczego się spóźniają, potem znów oni, że nie mogą trafić. Nasza kolej — kupcie coś po drodze, no i w końcu oni, że już są, tylko który numer wcisnąć na domofonie. Nikomu nie przyjdzie już do głowy, żeby zajrzeć ot tak, bo to niegrzeczne. Dzwonek „prawdziwych gości" nie zaskoczy nas na kanapie bez fryzury i w dresie, bo wiemy co do minuty, kiedy przybędą, za to ten niespodziewany bynajmniej nie wywołuje już ekscytacji, tylko zwykłe przerażenie.

Zresztą tak samo jest z telefonem. Ileż godzin czekałam kiedyś przy aparacie na jego telefon, a każdy dzwonek sprawiał, że wszystkie narządy wewnętrzne, łącznie z sercem i żołądkiem, znajdowały się nagle w moim gardle. Ta niewiadoma między moim halo i tym po drugiej stronie... Po cholerę ktoś wymyślił identyfikację numerów? Zresztą sama wpadłam w tę pułapkę i nie odbieram telefonu, gdy na wyświetlaczu zamiast imienia i nazwiska pojawiają się cyfry. Dzięki temu unikam słuchania o najnowszych promocjach w mojej sieci, ale kto wie, ile podniecających przygód mnie ominęło... Bycie nastolatkiem w dwudziestym pierwszym wieku naprawdę nie ma większego sensu. Czy ktoś na przykład chodzi jeszcze do skrzynki pocztowej z nadzieją na znalezienie tam listu miłosnego? Do mnie piszą dwa banki, i jeszcze trzeci, ale to bank sąsiada, który podał złą literkę przy numerze. Koresponduję jeszcze namiętnie z wodociągami, gazownią i telewizją N. Nikt nie przesyła już pozdrowień z wakacji, za to dostaję ememesa tuż po zakwaterowaniu w hotelu: „My, basen, w tle morze, jest cudnie”. Ale pamiętam za to, jak w 1997 roku Kaśka na kartce z obozu językowego w Lyonie opisała mi pokrótce swoją ekscytującą i dość bliską znajomość z pewnymi Francuzami. Niestety, skrzynkę na listy opróżniała wtedy Moja Matka, nie było więc mowy, żebym w następnym roku pojechała razem z Kaśką. Dlatego też nigdy nie wyszłam z „dostatecznego” u Madame Michaliny, za to moja przyjaciółka poszła na lingwistykę. Tymczasem najbardziej ekscytującą rzeczą, jaką znalazłam w skrzynce w ciągu ostatnich lat, jest ulotka, na której ktoś proponował mi siebie. „Extraordinary man — usługi towarzyskie dla pań. Partner, romans, kochanek profesjonalnie, dyskretnie, prywatnie — dojazd”, widniało na zielonej kartce ze zwykłej drukarki, ale nie skorzystałam.

Podobno dziewięćdziesiąt procent wiadomości wysyłanych codziennie e-mailem to spam. I w życiu chyba jest podobnie. Tylko nie jestem pewna, czy udaje nam się właściwie wyłapać te pozostałe dziesięć procent. I czy nam się w ogóle chce. Bo skąd mam wiedzieć, czy kolejny niespodziewany dzwonek domofonu zapowiada kogoś, kto chce mi sprzedać szczęście, czy kogoś, kto mi je po prostu da. Bez zapowiedzi.

Cążki, noże ostrzę…

Kasia

Pracowity poniedziałek. Siedzę sobie na kanapie, telefon wyłączony, komputer na kolanach, bo trzeba pisać szybko i szybko wysłać. Ale najpierw sprawdzić pocztę. Więc odkładam komputer, kot odskakuje przerażony, idę do furtki, pies szczeka radośnie i chce się bawić. Otwieram skrzynkę na listy — rachunek za gaz, zaproszenie na promocję, nie napiszę czego, bo i tak nie pójdę, kartka od Basi z Krakowa ze spóźnionymi życzeniami, zawsze od lat mnie wzrusza, list bez znaczka, tylko z imieniem, ktoś przejeżdżał, wrzucił, chciało mu się, jakie to miłe, że zamiast esemesa, maila, krótkiego telefonu po prostu list, i to nie wiadomo od kogo. Zostawię sobie przyjemność otwarcia na później, albowiem „pomiędzy przyjściem listu a zdjęciem pieczęci z pośpiechem…" A teraz należy pracować, pracować, pracować i ściągnąć z komputera pocztę, bo Córka dała znać esemesem, że wysłała.

Z telekomunikacją i neostradą mam problem od lat. Bo to takie miejsce, proszę pani. Bo kabel za cienki. Bo drzewa rosną. Bo nie wiemy, dlaczego akurat u pani przerywa, proszę pani. Może pani zwiększy abonament. Może pani sama sobie kabel podciągnie. U sąsiadów neostrada lata jak głupia, u mnie po zwiększeniu liczby megabajtów w ogóle wysiadła. Pakuję kabel telefoniczny do swojego komputerka. Z telefonu jednak idzie, pomalutku, ale idzie, ot, technika.

Kot już na stole w kuchni, pies w progu, jak zwykle, czytam, co przyszło, i serce mi mięknie. Ona to pamięta? Ten sam świat, który ja zachowałam do dzisiaj? Ten dzwonek do drzwi, który kojarzył się z czymś więcej niż z dostawą pizzy? To spojrzenie w wizjer, z niepokojem albo nadzieją? Znajomy czy obcy? Przyjaciel czy przyjaciółka Mojej Córki? Sąsiadka, że za głośno? Czy sąsiad, że liczniki będą czytać w środę, ale kartkę ktoś zerwał, więc nie wie, czy ja wiem? Dozorczyni z podwyżką czynszu czy posłaniec z bukietem dwunastu róż? Ktoś, kto przypadkiem był przejazdem, ale nie mógł zadzwonić, bo budka nieczynna na dworcu, czy ktoś, kto pomyślał: wpadnę, może się ucieszy? Niespodziankę zrobię?

Ile takich niespodzianek miałam w życiu? Mnóstwo, jedną pamiętam do dziś, nie pamiętam jednak, żebym czytała kartki do swojej Córki. Do Lyonu nie pojechała, bo nie było pieniędzy. Same w domu, dzwonek. Moja Córka biegnie pierwsza. Radośnie otwiera drzwi, a tam potężny mężczyzna, zarośnięty, łapy jak bochny chleba.

— Noże, nożyczki, cążki i inne ostrzę!

Stoi Moja Córka za mną i ciągnie mnie za rękaw:

— Mamo, mamo, tak, nawet nie możesz chleba pokroić.

I pan z oprzyrządowaniem już w kuchni, już się rozkłada przy stole, już włącza maszynę, koło na pasku jak w rowerze, rozkręca nogą jak w maszynie do szycia, już sweter zdejmuje, bo gorąco, już podaję mu wszystkie tępe narzędzia, które nie kroją, nie tną, nie nadają się, a Moja Córka wpatruje się w olbrzyma z zachwytem, na ramieniu olbrzyma naga kobieta opleciona wężami, ze startym napisem pod spodem, Boże, kogo ja do domu wpuściłam.

— Co to jest?

— Tatuaż — mówi olbrzym, a maszyna furczy, nóż błyska w jego bochnach, a ja na ugiętych nogach, Boże, żeby tylko nie skrzywdził!

— Ta to jeszcze z pierwszej odsiadki — informuje pan Moją Córkę — ale wyszłem po dwóch, za dobre sprawowanie.

Lecą iskry, jak tu chwycić dziecko i uciec z własnego domu?

— Z jakiej odsiadki? — Moja Córka jest w siódmym niebie.

— Normalnej, we więzieniu byłem...

Moja Córka ma buzię otwartą ze zdumienia i ciekawości.

— Tylko raz byłeś?

— Nie, potem jeszcze dwa — zachichotał i podał mi nóż.

— Ale już dłużej.

Odwinął nogawkę i pokazał na łydce statek. Moje gardło nie chciało przełknąć śliny.

— Ale śliczny! — zachwyciła się Moja Córka, a ja pożałowałam, że w ogóle miałam jakikolwiek nóż w domu, po co komu noże... Zabije od razu czy potem? Jak tu krzyczeć o pomoc, skoro maszyna strasznie huczy?

— Po co byłeś w więzieniu?

— Bo musiałem. Byłem niegrzeczny. — I spojrzał na mnie spod oka, nie zemdlałam ze względu na Córkę.

— Też kiedyś byłam — powiedziała pojednawczo.

— W więzieniu?

— Coś ty, niegrzeczna — roześmiała się.

— Masz gdzieś jeszcze rysunki?

— Mam, mam — zachichotał, a zimny pot spłynął ze mnie w miejsce, gdzie stałam.

— Proszę pana — wtrąciłam.

— Się pani nie boi, ja teraz noże ostrzę, lubię noże.

— Gdzie masz jeszcze rysunki?

Odwinął drugi rękaw i podetknął Córce pod nos miecze, skrzyżowane, a nad nimi koronę. Niezdarnie wykonaną.

— Bolało? — zapytała Moja Córka.

— Proszę pana, gdyby pan mógł się pospieszyć, bo czekamy na gości — uśmiechnęłam się anielsko.

— Nikt już nie przyjdzie. — Moja Córka spojrzała na mnie z wyrzutem. — Już jest za późno.

Olbrzym spojrzał na mnie i dźgnął mnie wzrokiem. Maszyna znowu poszła w ruch. Jeszcze tylko jeden mały nożyk i koniec, i do widzenia, i nie otwieram więcej obcym, nigdy, a już na pewno przenigdy nie wpuszczam ich do środka. Gdybym zamówiła kogoś do ostrzenia, jakąś firmę albo co, ale tak z ulicy, przysięgam, żeby tylko nic nie zrobił dziecku!

— To się należy dwadzieścia pięć złotych. Dziękuję.

Mokrymi dłońmi szukałam pieniędzy. Boże, żeby już wyszedł. Matko święta, obiecuję, że już nigdy więcej, tylko nas ocal! Olbrzym odłożył pieniądze i zaczął składać urządzenie. Potem włożył sweter i wyciągnął łapę w kierunku Mojej Córki.

— Do widzenia — powiedziała — fajny jesteś.

Kiedy oparłam się o zamknięte za olbrzymem drzwi, z tak widoczną ulgą, że aż łzy mi błysnęły w oczach, Moja Córka spojrzała na mnie ze zrozumieniem:

— Szkoda, że on z nami nie mieszka, nie bałybyśmy się niczego.

Więc tak kiedyś było, na dzwonek do drzwi podbiegało się z nadzieją, że czeka nas jakaś niespodzianka, może nie od razu szczęście, ale też nie nieszczęście, za drzwiami czaiła się przygoda. Ale to było dawno i właściwie jestem zadowolona, że jej Synek spokojnie gra w jakąś idiotyczną grę, bo wie, że dzwonek do drzwi nie zwiastuje nic poza dostawą drewna, pizzy czy tam innych rzeczy, które ludzie zamawiają przez Internet, żeby nic nosić. Dobrze, że Moja Córka nie wpuszcza do domu kogoś, kogo niedawno wypuszczono.

Ale mój dzwonek do drzwi nie zapowiada jedzenia. Czasem „korę rozwożę", z rzadka „chcielibyśmy porozmawiać o końcu świata". O końcu świata rozmawiam z przyjaciółką, od której odszedł mąż. Kory pod rośliny nie sypię, bo kto to widział w wiejskim ogródku. Nie mam poczty w telefonie, nie wiem, co słychać. Trzeba się ze mną skontaktować, umówić, spotkać. Bylejakość mnie już nie interesuje. Szczęście nie przyjdzie tak sobie w osobie kogoś, kto przypadkiem i mimochodem... Muszę je sobie teraz podhodować, upieścić, zająć się nim troskliwie, jest tuż obok, tylko trochę zaniedbane, zapomniane. Przedtem jednak otworzę ten list bez nadawcy. Pismo ładne, zdecydowane, lekko pochylone, ostre, chyba męskie. Koperta zaklejona porządnie. W środku nie ma reklamówki, bo gnie się cała, ale chyba jest więcej niż jedna kartka. Ciekawe, kto to napisał?

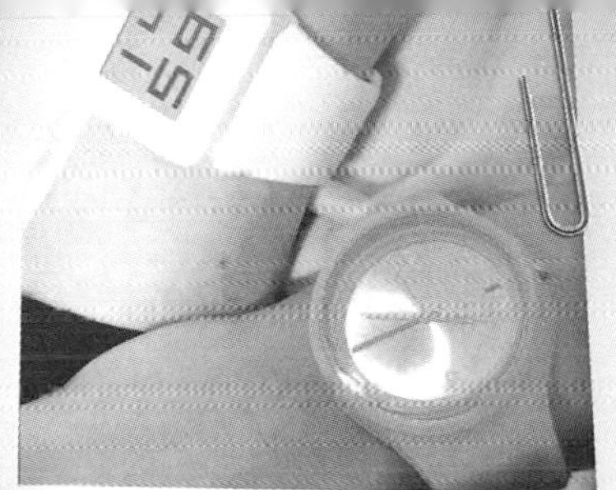

Skoro i tak nie mam na nic czasu,
to wolę go nie mieć
na ładnym zegarku - D.

Lubimy świętować.
Tu za pomocą świeczki i makaronu.
Syn i Narzeczony

Maj

Sezon ogródkowy -
koktajl z arbuza
w Małej Czarnej

Zamierzchłe czasy - jeszcze nie Matka,
jeszcze nie Zięć. Jeszcze nawet nie
Narzeczony. Konkubent po prostu.
Mów mi Kasia, mówi mi Konki.

To nie był mój dzień

Dorota

W środę obudził mnie telefon, przypominając o nagraniu dla kuchennej stacji. Kompletnie wyleciało mi z głowy, że jako ich była prowadząca, mam wziąć udział w jakimś kulinarnym teleturnieju. I bardzo proszą, żebym przyniosła ze sobą swoją „słynną tartę cytrynową" — na której to postanowili oprzeć jedną z konkurencji. Spokojnie, mam czas, pomyślałam. W końcu była dziewiąta, a w stacji miałam się pojawić dopiero o szesnastej. Po drodze do łazienki natknęłam się na Narzeczonego.

— Pamiętasz, że Syn ma dziś zakończenie roku w muzycznej? — rzucił.

Nie pamiętałam.

— O której?

— O osiemnastej, tylko najpierw ma jeszcze fortepian o szesnastej, a potem nie wiem, czy ma kolejne zajęcia, czy trzeba go odebrać... Zadzwoń tam i się dowiedz.

Tak duża ilość informacji spowodowała, że w mojej zaspanej głowie powoli zaczynało kiełkować bardzo nieprzyjemne uczucie.

— A ty nie możesz załatwić muzycznej? — zapytałam.

Narzeczony obrzucił mnie dziwnym spojrzeniem:

— Przecież ja wychodzę na próbę, dzisiaj mam koncert!

Wtedy do mnie dotarło: to nie jest mój dzień. Chwilę później, gdy myjąc twarz, usiłowałam pogodzić się z faktem, że nie ma żadnych szans, żebym była w dwóch miejscach jednocześnie, dokonałam kolejnego straszliwego odkrycia. Otóż byłam siwa. Nie bardziej niż dzień wcześniej, ale za bardzo na jakikolwiek występ w telewizji, który kompletnie wyleciał mi z głowy. Siwej. Potrzebowałam chwili, żeby ustalić priorytety. Najpierw kawa. Potem załatwić kogoś dla Antka. Do muzycznej mogę go odwieźć w drodze do telewizji, ale nie mogę być na zakończeniu roku, a tym bardziej odebrać go po fortepianie i do tego zakończenia poczekać, jeśli nie ma potem zajęć. Telefon do szkoły, czy są zajęcia. Dzwonię od razu — zajęć nie ma. Załatwić kogoś, kto go odbierze. Matka nie odbiera. Wysyłam esemesa. Matka oddzwania, że może być na zakończeniu w muzycznej. Zapominam dodać, że chodzi też o odebranie i przeczekanie. Matka już nie odbiera. Włosy! — nie zdążę do fryzjera. Znajduję jakąś starą farbę, tyle że rękawiczki zużyłam do sprzątania łazienek. Bardzo ostrożnie nakładam farbę gołymi rękami i idę robić tartę. To nie jest mój dzień, ale dam radę, upewniam się cicho. Tarta ląduje w piekarniku, a moja głowa pod wodą. Włosy się zafarbowały — paznokcie też. Dzwonię do producentki programu i pytam o zbliże nia na ręce — będą. Ostrożnie maluję paznokcie czerwonym lakierem, bo tylko on pokryje brąz. W międzyczasie ubieram się i suszę włosy. Tarta nie chce się upiec. Zwiększam temperaturę, zamawiam taksówkę, nakładam kolejną warstwę lakieru i prasuję białą koszulę Syna na zakończenie roku. Tarta się przypala. W pośpiechu wyciągam ją z piekarnika i zdzieram sobie lakier z dwóch paznokci. Maluję kolejną warstwę. Przypaloną tartę umieszczam w plastikowej torbie, która natychmiast przywiera do wierzchu — usiłuję ją ratować, ale wierzch jest bardziej przywiązany do torby niż do tarty. Biorę torbę Syna „do muzycznej", zmasakrowaną tartę owiniętą bawełnianą bluzką, wieszak ze strojem galowym i wychodzę z domu w błędnym przekonaniu, że czerwony lakier mam w torebce i będę mogła jeszcze cokolwiek poprawić. Po piętnastu minutach ostrożnego grzebania w torebce już wiem, że lakier został na stole. Bilans wynosi — trzy pomalowane paznokcie i siedem zdartych. Pasują do tarty. Dzwonię do producentki, żeby mi przyszykowali jakikolwiek lakier i zmywacz. Odbieram Syna ze szkoły ze słowami „tylko migiem". Pan Woźny, niby nie do mnie, mówi o tym, że dzieciństwo kojarzyć się będzie co niektórym wyłącznie ze słowami „pospiesz się". Wracamy do taksówki.

— Co to jest? Co to jest? Co to jest? — powtarza Syn niczym mantrę, kiedy tłumaczę taksówkarzowi, gdzie teraz jedziemy. Odwracam się w końcu do niego i widzę, że każde „co", „to" i „jest" akcentuje rytmicznym wbijaniem palca w tartę. Delikatnie podnoszę bluzkę, w którą jest owinięta.

— To była tarta — tłumaczę Synowi, który przeprasza mnie przez całą drogę do szkoły muzycznej.

Zostawiam Syna, jego plecak, jego torbę i strój, tłumacząc, że ma czekać na Babcię i że najlepiej, jakby w tej przerwie kupili kwiatki dla nauczycielek, prezent dla Taty i prezent dla Jaśka, na którego urodziny idziemy jutro. Syn zapamiętuje. W taksówce przypominam sobie, że nie przekazałam Matce, że ma być wcześniej. Na szczęście lądujemy w gigantycznym korku, więc mam chwilę. Matka odbiera za siódmym razem. Tłumaczę, że wcześniej, że trzeba przeczekać. Matka informuje mnie, że za chwilę zostawia samochód w warsztacie i nie będzie miała jak dojechać. Opowiadam jej o istnieniu taksówek. Matka prosi, bym jej jedną zamówiła, ale nie wie gdzie, bo nie zna adresu warsztatu. Zadzwoni, jak dojedzie. W końcu oddzwania, a miły taksówkarz zamawia jej transport przez radio. Wręczywszy mu nieprzyzwoicie wysoką kwotę, wytaczam się na chodnik. Nie jest to łatwe, biorąc pod uwagę fakt, że w prawej ręce dzierżę spaloną, obdartą ze skóry i zadźganą tartę, podczas gdy lewą usiłuję znaleźć zapalniczkę, zupełnie zapominając o tym, że pod pachą (prawą) znajduje się rysunek Syna z wyjątkową inskrypcją („Życzę Ci, Tato, dużo szczęścia i radości — Twój ukochany syn Antek") i kolorowym szkicem muskularnej postaci walczącej z Darthem Vaderem. Kiedy to sobie w końcu uświadamiam, jest już za późno. Laurka leży na chodniku, jakieś dwa kroki ode mnie. Znając takie sytuacje z wszelakich filmów, wiem, że jeśli tylko wykonam jakikolwiek gwałtowny ruch, wiatr natychmiast porwie ją dalej. Odkładam więc tartę i zaczynam się powolutku skradać. Niestety, wiatr najprawdopodobniej przewidział moją przebiegłość, bo natychmiast reaguje solidnym podmuchem. Laurka ląduje na środkowym pasie alei Sikorskiego, tuż przed zmianą świateł. Korek rusza. Udaje mi się w końcu wygrzebać zapalniczkę i w oczekiwaniu na możliwość poruszenia się zaciągam się papierosem. Samochody leniwie przetaczają się wszystkimi trzema pasami, łaskawie omijając dzieło Syna. Cierpliwie czekam. Kilka minut później, wyciągnąwszy laurkę spod kół samochodu marki Fiat Punto, wracam po tartę i spóźniona udaję się na nagranie. Kiedy cztery godziny później czekają na mnie Matka z Synem, okazuje się, że:

Po pierwsze: nie byli na zakończeniu roku, bo Matka nie zdążyłaby odebrać samochodu, ale wręczyli kwiaty i dostali świadectwo.

Po drugie: Syn zakupił za własne pieniądze prezenty dla Taty i dla Jaśka.

Po trzecie: prezent dla Jaśka to jeden (!) ludzik Lego w małej torebeczce („To zdzierstwo — tłumaczy mi Syn — myślałem, że są trzy". „Mogłaś mi powiedzieć, że to na czyjeś urodziny", tłumaczy mi Matka).

Po czwarte: laurka została w garderobie („Mamuś, nie szkodzi, narysuję drugą", uspokaja mnie Syn).

Po piąte: tarta była pyszna, mimo że tyle przeszła.

Po szóste: fioletowy lakier kryje zarówno brązową farbę do włosów, jak i pozostałości czerwonego lakieru.

Po siódme: nawet jeśli to nie jest mój dzień, to świat kręci się beze mnie i bez moich planów.

To w gruncie rzeczy pocieszające.

To był mój dzień

Kasia

Zaczyna się nieźle, bo mimo że nie nastawiłam rano budzika, budzi mnie drapanie w drzwi od sypialni — mój pies postanowił postawić mnie na nogi o właściwej porze. Karmię psa, koty, ryby, które miały się nie rozmnażać, a jest ich coraz więcej, znajduję szczęśliwie resztkę szamponu do włosów, a już myślałam, że nie mam, patrzę na zegarek, pakuję torbę do samochodu, przelewam herbatę do wysokiego kubka, z którego się nie wyleje w czasie jazdy, i wybiegam z domu. Szczęśliwie brama zamyka się za trzecim razem. Oddycham z ulgą, bo czasami w ogóle się nie chce zamknąć. Pierwsze spotkanie o jedenastej, drugie o dwunastej trzydzieści, trzecie, najważniejsze, o drugiej, o drugiej trzydzieści mam odstawić samochód na przegląd, przed piątą odebrać, o szóstej następne spotkanie, ale krótkie, bo na siódmą trzydzieści do teatru. Mój dzień! Ładnie zaplanowany, ubrania na zmianę w bagażniku, kiedy odstawię samochód, to pójdę do sklepu, który jest niedaleko, i załatwię zaległe zakupy, z szamponem na czele. Najważniejsze to trzymać się planu. Popijam herbatę i dojeżdżam dość szybko do Warszawy. Niestety, zapomniałam, że remont jedynej drogi od strony zachodniej do stolicy jest zdecydowanie przeciwko mnie. Przełożę to z jedenastej na trzecią, jak odstawię samochód, zakupy nie zając. Stoję w korku czterdzieści pięć minut i załatwiam to, co mogę załatwić telefonicznie. Spotkanie przełożone, oczywiście, siła wyższa, nie szkodzi, będziemy czekać. Dzwoni Córka, czy mogę być na zakończeniu roku szkolnego o szóstej, potrwa dosłownie chwilę, najwyżej pół godziny, błagam. OK, będę, babcią jestem od dawna, tradycyjną bywam. Po dwunastej wpadam do kawiarni na spotkanie numer dwa, które się niebezpiecznie przeciąga, a ja muszę na drugą koniecznie być pod Wilanowem. Tam na mnie czeka Dwóch Ważnych Ludzi, z których jeden dzwoni, że przeprasza, ale się spóźni. Uśmiecham się i natychmiast dzwonię do warsztatu, czy mogę później odstawić autko. Mogę, ale nie za późno, chyba że zostawię do jutra. Nie zostawię, bo jak wrócę? No i Wnuczek, rzecz jasna, do którego jadę na szóstą. Nie, nie, dziś. W porządku, czekamy. Oddycham z ulgą, wracam na Ważne Spotkanie. Telefon dzwoni bez przerwy. Po szóstym razie uśmiecham się, przepraszam i sprawdzam. Córka. Jest w rozpaczy, bo tarta i paznokcie, i błaga, jest w taksówce, jedzie na nagranie. Mam pojechać o czwartej do szkoły, wziąć jej dziecko, kupić trzy bukieciki, do szóstej, on nie może być sam, bo mu się zajęcia kończą wcześniej. Patrzę na zegarek, jest za dwadzieścia czwarta. Popołudnie z Wnuczkiem też jest rzeczą cudowną! Jadę do warsztatu, po drodze ona zamawia mi taksówkę ze swojej taksówki, żeby było szybciej. Rzucam kluczyki, fajny dzień, chociaż troszkę nerwowy, ale będę miała czyściutki i sprawny samochodzik. Dzwonię, żeby odwołać spotkanie o szóstej i uprzedzić, żeby zostawili dla mnie bilet w kasie, bo mogę się spóźnić. Korek. O wpół do piątej zabieram Wnuczka ze szkoły, ruszam na poszukiwanie kwiaciarni, znajduję centrum (o matko moja) handlowe, Wnuczek chce: a) jeść, b) pięć złotych na jakieś kulki z niespodzianką, które wyskakują z automatu, c) prezent dla ojca, d) prezent dla kolegi, e) pić, po czym zawiadamia mnie, że nie jest głodny, trzy róże wystarczą, biegnie do klocków Lego, wskazuje na zestaw za 798 złotych, bo Janek takiego na pewno nie ma, a następnie wyjmuje jakąś grę i gra. Przekonuję go, że ludzik Lego będzie dużo lepszym prezentem. O wpół do szóstej, kiedy zamawiam porcję dziecięcą frytek i kurczaczka w futerku czy coś takiego, dzwonią z warsztatu, żeby mi przypomnieć, że do szóstej mogę odebrać samochód, oraz uprzedzić, że już nie umyją, bo myjnia zamknięta. Zamawiam taksówkę pod szkołę, płacę za nie zjedzone frytki, porywam Wnuczka wraz z jego grą i biegnę do szkoły. Tłumaczę, że niestety, na zakończeniu nie mogę być, ale świadectwo byśmy jednak odebrali. Pani idzie szukać świadectwa przygotowanego do uroczystego wręczenia, Wnuczek gra, ja przebieram nogami. Wtedy dzwoni Moja Córka i mówi, że musimy do niej podjechać po klucze, bo nikogo w domu nie będzie, i że skończy nagranie o siódmej, i że zaraz prześle mi esemesem telefon do kogoś, kto te klucze będzie miał, bo ona musi mieć wyłączony swój, gdyż jest na wizji. Pięć po szóstej jestem w warsztacie, przesadzam grającego Wnuczka z taksówki do swojego samochodu, płacę, dzwonię do przyjaciół i odszczekuję, że zdążę do teatru.

— Jak tam świadectwo? — pytam wreszcie i od razu nienawidzę się za to pytanie.

Wnuczek odkłada grę, wyjmuje świadectwo, przygląda mu się bez specjalnej uwagi.

— W zeszłym roku miałem z czerwonym paskiem — informuje mnie i wraca do gry.

Podjeżdżam pod gmach telewizji i dzwonię do nieznanego mężczyzny, który ma klucze od mieszkania Mojej Córki. Numer jest za krótki — informuje mnie informatorka w telefonie. Wypakowuję Wnuczka z grą i wchodzę do gmachu.

— Przepraszam, szukam... — I zastanawiam się, co powiedzieć, bo telefon mam, i owszem, z imieniem jakimś bez nazwiska — Karola...

Pan Pilnujący czeka, a ja przecież sobie tego nazwiska nie wymyślę na poczekaniu. Wycofuję się, siadam koło fontanny i zastanawiam się, co dalej robić z tak mile rozpoczętym dniem.

— Jestem głodny — informuje mnie wnuczek i zaczyna wrzucać do wody kamienie. Siedzimy tak razem, kiedy nagle z gmachu wysypują się laski jakieś śliczne oraz młodzi mężczyźni i rzucają się palić.

— Mama! — krzyczy radośnie mój Wnuczek i podbiega do jednej z lasek.

— Jak to dobrze, że jesteście! — Ona to jest, Moja Córka. — Poczekacie, prawda? Jeszcze pół godziny... Możecie sobie oglądać nagranie w garderobie.

— Ja nie chcę — mówi mój Wnuczek, a ja nie mam czasu powiedzieć o za krótkim Karolu oraz teatrze, oraz... — Moja Córka znika, jakaś inna córka prowadzi nas do garderoby. Wnuczek odkłada grę i wpatruje się w telewizor jak zahipnotyzowany. Moja Córka w okularach do nurkowania obiera na czas cebulę. Wygląda zjawiskowo do godziny siódmej trzydzieści, kiedy to kończy się nagrywanie. Biorę całą czwórkę do samochodu — Córkę, tartę, Wnuczka i grę, i odwożę do domu.

— Ale ty masz brudny samochód — mówi Moja Córka. — Jak ja ci strasznie dziękuję, że przyjechałaś, dzięki tobie mogłam wszystko załatwić, a to nie był mój dzień. Może u nas zostaniesz, i tak nie zdążysz do teatru.

Jej trzy psy oblegają mnie miłośnie, zostawiając białe kudły na moich czarnych legginsach. Po obejrzeniu dwóch odcinków jakiegoś genialnego, zupełnie nowego amerykańskiego serialu (ja ci to będę nagrywać, oglądamy to z Olką, jest absolutnie genialny!) kładę się w gościnnym pokoju, czyściutka pościel, lampka na szerokim parapecie. Tak, to był mój dzień... Inny, ale też przyjemny. I wtedy przypominam sobie o nie odwołanym, przełożonym z jedenastej na szesnastą spotkaniu.

Jak nie spotkałam Bruce'a Willisa

Dorota

Zasadniczo nie „bywam". Nie lubię przekąsek z zimnej płyty, darmowych drinków ani zdań pełnych „co słychać?" i „musimy się jak najszybciej umówić", a na koniec „zadzwoń do mnie, koniecznie!", szczególnie że zazwyczaj nikogo nie obchodzi, co u mnie słychać, żadne z nas nie ma ochoty się gdziekolwiek umawiać, a już tym bardziej, choćby dla zachowania pozorów, wymienić numerami telefonów. Wychodzę z założenia, że prawdziwe spotkania nie są gratisem dodawanym w promocji, a na nieprawdziwe zwyczajnie nie mam czasu. Tym razem jednak było inaczej. Ściskając w ręku vipowskie zaproszenie, szybciutko odrzuciłam wszelkie zasady, przemyślenia i uprzedzenia, bo oto pojawiła się przede mną jedyna, niepowtarzalna okazja ujrzenia dwóch mężczyzn mojego życia na jednej scenie. Razem — Narzeczony i Bruce Willis. Ten sam, który w brudnym, przepoconym podkoszulku ratował świat przed terrorystyczną zagładą we wszystkich *Szklanych pułapkach*. Ten, który przyjaźni się z byłą żoną i jej młodocianym mężem, spędzając z nimi wakacje na jachcie. Ten sam, który z wiekiem staje się jeszcze bardziej seksowny i pociągający. (Chodzi mi oczywiście o Bruce'a, choć ostatnie zdanie spokojnie może dotyczyć też Narzeczonego). Pojawiła się nawet szansa, że Bruce wykona utwór z orkiestrą — tym chętniej podjęłam więc decyzję, że muszę to zobaczyć. Nieświadoma konsekwencji, namówiłam własną Matkę (co, odkąd zaczęła „nowe życie", nie jest specjalnie trudne), by mi towarzyszyła, i poczęłam odliczanie dni do środy, kiedy to wiekopomne spotkanie miało dojść do skutku.

T e g o d n i a, gdzieś w okolicach osiemnastej trzydzieści, okazało się, że niania, polecona przez znajomych jako najbardziej niezawodna, postanowiła nie przyjść. Być może potraktowała ten incydent jako wyjątek potwierdzający regułę swej niezawodności, jednak niewiele mnie to obchodziło. W ciągu najbliższej godziny obdzwoniłam absolutnie wszystkich, którzy mogliby ewentualnie przyjść lub ostatecznie przyjąć pod swój dach Syna, ale bez skutku. Ostatnia na liście jest zawsze moja Cudowna Sąsiadka Asia, która nie potrafi odmawiać, nawet jeśli miałaby odwrócić całe swoje życie do góry nogami. A ja nie znoszę jej tego robić. Drżącymi palcami wybrałam numer. Asia miała wieczorem gości, z dziećmi, na nocowanie, jedno ze swoich już uśpiła, ale obiecała, że pomyśli. Oddzwoniła za pięć minut, że odwołała nocowanie, a Mati i tak już się obudził, więc nie ma problemu. Ponieważ Asia poza cudownością i brakiem umiejętności odmawiania ma jeszcze jedną cechę — absolutny sprzeciw, jeśli chodzi o przyjmowanie jakichkolwiek dowodów wdzięczności, musiałam się jeszcze zmierzyć z rosnącym poczuciem winy. Umówiłyśmy się na dwudziestą trzydzieści. Już byłam wykończona. Tymczasem zauważyłam, że zaproszenia, jakie posiadam, są podwójne, zadzwoniłam więc szybciutko do Moni, żeby ją wyciągnąć z nami. Monia była chętna.

— Dotka, a co robisz z Synem? Może przywiozłabyś go do nas na nocowanie?

Przełknęłam ślinę i zadzwoniłam do Asi. Zaproponowałam, że sama zadzwonię do znajomych, których połowicznie odwołała, i powiem, że jestem niepoczytalna, ale Asia nie skorzystała z mojej propozycji.

W okolicach dwudziestej zjawiła się Moja Matka, ściskając w rękach dwie wymięte szmatki (sukienki) i wełniane rękawki nabijane cekinami (superdesignerskie getry), a także kozaki bez palców, które podobno kazałam jej kupić. „Obowiązują stroje wieczorowe", przeczytałam na zaproszeniu. Matka jednak z pełnym przekonaniem poczęła się wbijać w jeden z przyniesionych trykotów. Pospiesznie wyciągnęłam z szafy wszystkie najlepsze stroje, które zaczęłam jej po kolei proponować. Pół godziny później klęczałam ze łzami w oczach, błagając, by się jednak przebrała. W jej getrach odbijały się wszystkie lampy będące w za sięgu mojego wzroku, a odkryte palce powleczone były cielistymi rajstopami, spod których wyzierał krwistoczerwony lakier.

— Mamuś, proszę cię — łkałam, ale właścicielka powyższych ekstrawagancji była niewzruszona.

Ostatecznie pokonana, skupiłam się więc na sobie. Włożyłam superlanserski kombinezon, marynarkę *très à la mode* i fantastyczne różowe szpilki, których z niewiadomych powodów nigdy nie nosiłam. Spojrzałam z zadowoleniem w lustro, po czym skrzywiłam się, zerkając na Matkę. Trudno, pomyślałam i pojechałyśmy odwieźć Syna do domu Moni, gdzie chwilowo rezydowała niania, która nijak nie musiała potwierdzać swej niezawodności, bo po prostu przychodziła, kiedy miała przyjść. Niektórzy to mają szczęście.

Wsiadamy z powrotem do samochodu i czuję, że pęka mi głowa. Generalnie nie należę do osób, którym pęka głowa ot, tak, szukamy więc z Matką powodu. Gdzieś w okolicach Rotundy Matka pyta mnie, czy coś jadłam. Nie jadłam, odkąd pamiętam, czyli od śniadania o siódmej rano. Wtedy jadłam, owszem, płatki z mlekiem sojowym. Matka podaje mi coca-colę, gdyż uważa, że napój ten nadaje się wyłącznie do czyszczenia rur oraz do podnoszenia poziomu cukru we krwi. Trochę mi lepiej. Po kolejnej półgodzinie, błądząc niemożebnie wśród cmentarza i starych fabryk, docieramy na miejsce. Strach zostawiać samochód, ale ryzykujemy. Po chwili, już z Monią, wchodzimy na czerwony dywan i flesze aparatów oślepiają mnie bardziej niż getry Matki. O Jezu, to tak to wygląda!

— W prawo, w lewo! Pani Kasiu, jeszcze na środek! — Z błyskającej masy wydostają się pojedyncze krzyki.

Udaje nam się jakoś przejść i zostajemy zaobrączkowane jako VIP-y. Stoły uginają się od jedzenia. Zastanawiam się co wygra — mój głód czy obciach obżerania się darmowym jedzeniem. Głód wychodzi na prowadzenie. Z lekkim niesmakiem nakładam sobie smakowity posiłek, ale nie jestem w stanie go dokończyć. Zamawiamy trzy kolorowe drinki, jeden bez alkoholu dla Matki, i usiłujemy dotrzeć do sali, gdzie gra orkiestra Narzeczonego. Po drodze łapie nas kolejna grupa fotoreporterów, którzy zorientowali się, że jestem jej córką. Robię kolejny bilans — albo gazety będą nadal używać naszych dwóch zdjęć, które zrobiono nam w roku 2002, albo damy sobie teraz napstrykać nowych, na kolejne dziesięć lat.

Dajemy, ale wcześniej przekazujemy Moni swoje drinki. Monia szuka więc w popłochu jakiegoś stolika, żeby się ich pozbyć, zanim ktoś zrobi jej z nimi zdjęcie. Wszystko zajęte. Niezrażona podchodzi do jednego, przy którym stoi sympatyczny młodzieniec.

— Przepraszam — mówi z uśmiechem — czy mogę to na chwileczkę odstawić?

Młodzieniec lustruje ją, odwzajemniając uśmiech, i zalotnie zaczepia:

— Oczywiście, ale w zamian należy się autograf.

Monia tłumaczy, że nie ma kartki, długopisu.

— No co ty! — przerywa jej młodzieniec. — Przecież ja nawet nie wiem, kim ty jesteś!

Kiedy oślepione fleszami podchodzimy po nasze drinki, nadal dusi się ze śmiechu. Wchodzimy na główną salę, ale trzech fotoreporterów nie odstępuje nas na krok — czuję się dziwnie. Bruce'a jeszcze nie ma, orkiestra zagłusza wszystkie rozmowy, ale nikomu to chyba nie przeszkadza. Macham Narzeczonemu, który macha orkiestrze.

— Czy to twoim zdaniem jest strój wieczorowy? — pyta mnie Matka z satysfakcją, wskazując na grupkę ludzi w swetrach i dżinsach, stojących pod ścianą.

Po półgodzinie byłyśmy wykończone. Wiedziałam już doskonale, dlaczego nigdy nie nosiłam tych butów, i wiedziałam też, dlaczego już nigdy ich nie założę. Nie udało nam się zamienić trzech zdań, za to zrobiono nam trzy tysiące zdjęć. Bruce'a nadal nie było. Wychodzimy, powiedziała nie pamiętam która z nas. Miałam ochotę zjeść coś, za co sama zapłacę, mając pewność, że nikt nie zrobi mi zdjęcia, kiedy będę to jedzenie wkładała do ust.

I wyszłyśmy. Kiedy byłyśmy przy samochodzie, zza grubego muru fabryki zaczął przemawiać Bruce. Jego głos niósł się po industrialnej okolicy, ale nie wyczuwałam w nim jakiegokolwiek żalu z powodu naszego wyjścia. Lekko zawiedzione, w asyście paparazzich ruszyłyśmy na miasto coś zjeść. O pierwszej w nocy, już same, odwiozłyśmy Monię pod dom, gdzie spał mój Syn.

— Ojej — powiedziała Monia — wzięłam zły komplet kluczy. — Po czym zaczęła się wspinać na płot. Wtedy lunął deszcz. Monia zawisła między swoją posesją a drogą i dostała ataku śmiechu. Przepchnęłam ją, tak że bezpiecznie wpadła w krzaki, i z poczuciem spełnionego obowiązku wróciłam do samochodu.

Narzeczony wszedł do domu piętnaście minut po nas. Był zdziwiony, że nie widziałyśmy Bruce'a. Bilans, jaki zrobiłam tego wieczoru, nie wyglądał najlepiej: zostałam bywalcem, raczyłam się zimną płytą, spuchły mi stopy, zmokłam jak kura i nie spotkałam Bruce'a Willisa. W dodatku, o czym miałam przekonać się następnego dnia, na zdjęciach z imprezy Matka w trykocie i getrach i tak wyglądała lepiej niż ja.

Jakiego Bruce'a?

Kasia

Robię rzeczy, których nie robiłam i za którymi nie przepadam, bo Moja Córka mówi:

— Dlaczego z innymi chodzisz na imprezy (nie chodzę), a ze mną nie?

— Czy ja tak często cię o to proszę? (Nie).

— Czy nie możesz czegoś dla mnie w końcu zrobić? (Jakbym mało robiła!)

— Dlaczego w końcu nie chcesz przyjść na koncert mojego Narzeczonego?

Wytoczone działo podziałało, owszem, na koncercie orkiestry Narzeczonego byłam raz w Teatrze Wielkim. Dawno temu. A może nawet bardzo dawno temu. Siedem telefonów od Mojej Córki upewniło mnie, że muszę, ale to koniecznie, bo tak jest napisane w zaproszeniu, pamiętaj, nie lekceważ — pamiętać o stroju wieczorowym. Moje stroje wieczorowe składają się z bawełnianych hinduskich za szerokich spódnic, w których

Moja Córka zakazała mi chodzić, i z czarnych bluzek i właściwie nie różnią się specjalnie od strojów porannych, popołudniowych, a nawet nocnych, jeśli narzucić sweter, najlepiej czarny.

Rozgrzebałam szafę, w której mam bardzo dużo rzeczy, po jakich rozpoznają mnie znajomi sprzed lat dziesięciu, i wyjęłam ekskluzywną bawełnianą sukienkę, jaką inni wkładają na plażę, kupioną okazyjnie za czterdzieści pięć złotych w normalnym sklepie z przeceny letniej, czarne buty na niebotycznym obcasie, których nie noszę ani rano, ani w południe, ani w ogóle, bo się męczę, podczas gdy inni biegają w takich od rana do wieczora, i ekstragetry, które mi doradziła jedna znajoma stylistka, mówiąc, że do nich nic już właściwie nie potrzebuję, bo one same w sobie są. Po prostu są. I że nie będę żałować. Spakowałam to wszystko bardzo ładnie do samochodu i udałam się do Córki, którą należało przewieźć z jej Synem w miejsce bliżej nieokreślone, ale ona mi powie i doda, żebym się w ogóle nie martwiła, bo to będzie fantastyczny wieczór i jej Narzeczony bardzo się ucieszy.

— No chyba żartujesz — powiedziała Moja Córka, kiedy przebrana i pomalowana zeszłam na dół w swoim ekskluzywnym ubraniu wieczorowym.

— Ale fajnie wyglądasz — powiedział mój Wnuk. — Będę mógł się bawić z Jaśkiem?

— Boże, ty chyba tak nie pójdziesz — powiedziała Moja Córka.

— Ale ja się będę mógł z nim jeszcze pobawić? — upewniał się mój Wnuk.

— Jeśli wam niania pozwoli. Przebierz się — powiedziała Moja Córka.

— Ta niania nigdy nie pozwala — posmutniał mój Wnuk. — Jestem przebrany.

— Nie ty, do Babci mówię — sprostowała Moja Córka, a ja ciekawie rozejrzałam się po pokoju w poszukiwaniu Babci, która nieodmiennie mi się kojarzy zupełnie nie ze mną.

— Mamooooo — jęknęła. — Ty chyba tak nie pójdziesz na koncert???

Popatrzyłam na siebie w lustrze. Całkiem nieźle. Żadnej hinduskiej spódnicy w zasięgu wzroku. Czarna skromna sukienka. Przecież Moja Córka nie wie, że za czterdzieści pięć złotych. Buty ekstra. Getry kosmiczne.

— A gdybyś zadzwoniła do niani i powiedziała, żebyśmy się jeszcze trochę pobawili?

— Załóż to — powiedziała Moja Córka i rzuciła we mnie okropnie modnymi spodniami, których krok za przeproszeniem majtał się tuż przy ziemi. — Albo to. — Wręczyła mi prostą sukienkę z jakąś ekskluzywną metką w wijące się wzory. — Albo chociaż to. — Bluzka miała pagony srebrne, a modne bez wątpienia. — Matko! Zdejmij przynajmniej to z szyi!

Na szyi miałam bardzo przyjemne łańcuszki, które sobie noszę i nikomu tym nie przeszkadzam.

— Lubię je — powiedziałam.

— To będę mógł się jeszcze pobawić czy nie? Bo nie pojadę!

— Mamo, dlaczego ty mnie zawsze chcesz skompromitować? — jęknęła Moja Córka.

Zdjęłam biżuterię z szyi.

— Jedźmy więc — powiedziałam szybko — bo się spóźnimy!

Moja Córka wyglądała zjawiskowo. Mój Wnuczek dźwigał pościel. Ja ukradkiem założyłam z powrotem swoje ulubione wisiorki. Wnuczek został odstawiony pod dom Moni, Moja Córka zastanawiała się, dlaczego jej słabo.

— Może nic nie jadłaś? — odważyłam się powiedzieć to zdanie, które wygrzebałam z pamięci jako jedno z mniej ulubionych wspomnień dotyczących moich rodziców.

— No jasne! — odetchnęła z ulgą i upiła łyk ciepłej i starej coli, która przeczyszcza i odrdzewia rury. Ale ma cukier.

Kiedy weszłyśmy do starej fabryki, już było tam mnóstwo ludzi i fotoreporterów. Grzecznie się uśmiechnęłyśmy, bo ostatnie wspólne zdjęcia, jakie mamy, były robione na poprzednim koncercie, na którym byłam bardzo, bardzo dawno temu. Monia dołączyła do nas, budząc zainteresowanie dziennikarzy. Przeszłyśmy do hali, gdzie Narzeczony Mojej Córki dyrygował. Machnęłam. Nie zauważył. Oprócz mnie (Mamo, ty zawsze masz pilniejsze zajęcia, a on by się cieszył!) było jakieś trzy tysiące osób. Duszno. Tłoczno. Modnie. Moje getry ginęły wśród blasku złota, zgrabnej golizny, odkrytych pleców, piersi, pośladków, spodni z krokiem wałęsającym się po ziemi, butach wysokich, niskich, odkrytych, przezroczystych, na koturnach, obcasach, słupach. Orkiestra grała świetnie, a wszyscy pili radośnie wódkę, polską. Ja trzymałam w ręku drinka bezalkoholowego. Nie wiem, która z nas powiedziała, żeby już iść, że można by na jakąś fajną kolację pojechać, gdzie nie ma trzech tysięcy ludzi, i że jej Narzeczony już nas przecież widział.

Kiedy wchodziłyśmy do samochodu, Monia i Moja Córka stanęły jak wryte.

— Bruce Willis! — powiedziały jak na komendę.

Na ulicy oprócz nas było dwóch fotoreporterów i żaden z nich w jakimkolwiek, najmniejszym nawet stopniu nie przypominał Bruce'a Willisa. Moje buty były za wysokie na tak dalekie parkowanie.

— Mówi coś, ale nie rozumiem co — powiedziała Moja Córka.

— Nie słychać tutaj — powiedziała Monia.

Zza grubego muru dochodził jakiś męski pomruk w języku obcym.

— Bruce Willis? — zdziwiłam się. — Tutaj?

No przecież ci mówiłam, że będzie! powiedziała z pretensją Moja Córka. — To co, idziemy?

Jeśli chodzi o Bruce'a, lubię go, i owszem. Lubię wszystkich, którzy ratują świat, oprócz Stevena Seagala, bo jakoś mnie nie przekonuje. Ale na miłość boską, czy mnie ktoś uprzedził, że oprócz Narzeczonego będzie Bruce? Może bym włożyła coś innego? Może by mi uścisnął dłoń chociaż? Nastawiłabym się nie na koncert Narzeczonego Mojej Córki, tylko na gwiazdę amerykańskiej wielkości. No cóż. Bruce. Nic takiego. Nie komponuje, nie dyryguje. A Adam i owszem!

Otworzyłam samochód. Wylądowałyśmy w bardzo miłej knajpce otwartej do ostatniego gościa, gdzie podano nam sałatkę i jakiś makaron. Moja Córka zjadła wreszcie śniadanie. Była pierwsza w nocy. Odwiozłam Monię do domu, zaczepiła się na płocie w sukience od Versacego. Przespałam się u Córki, bo było późno. Rano włożyłam ten sam trykot, tylko bez getrów, i wyglądałam już normalnie, a nie wieczorowo. Oraz ściągnęłam jeden z łańcuszków. Oraz włożyłam sandałki. I pojechałam na trzy różne służbowe spotkania.

Najgorsze, że nikt nie docenił tego, iż poszłam tam dla swojej rodziny. Dla swojej Córki i jej Narzeczonego. Oni są do dzisiaj przekonani, że poszłam poznać Bruce'a Willisa, tylko okoliczności były niesprzyjające. A Narzeczony Córki nawet nie zauważył moich wieczorowych getrów.

„Mamo, Halka jest moja, chyba że siedzi w twoim różowym koszyku". Syn

Po dwóch latach Halka pozwoliła mi się wziąć na ręce. Przestraszona. Ja.

Czerwiec

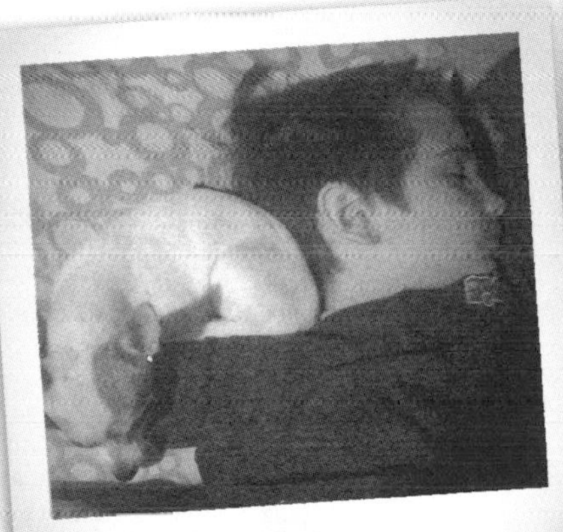

W nocy Halka jest Syna. Albo Syn Halki.

Mok w Podkowie Leśnej. Kiedyś miejsce potańcówek i sobotnio-wieczornych pielgrzymek. Dziś skate park. Różnica pokoleń.

Plenerek rowerowy

Dorota

Okazało się, że mój rower ma odwrotnie przykręconą kierownicę. I koło. No i błotnik, hamulce oraz przerzutki, rzecz jasna, i dlatego nie mogę wykonać ostrego skrętu w prawo. Zdecydowanie lepiej mi się jeździło, zanim się o tym dowiedziałam. Mój Syn, dość przejęty sytuacją, bo kiedy szczerze rozbawiony mąż przyjaciółki wyjawił mi tę techniczną prawdę, byliśmy na pikniku piętnaście kilometrów od domu (rowerami oczywiście), zapytał:

— Czy przypadkiem to nie Iks składał ci ten rower?

Potwierdziłam, choć wspomnienie o Byłym Narzeczonym Mojej Matki nie jest najprzyjemniejsze i zupełnie nie pasuje do pikniku.

— To się zgadza — odpowiedział Syn z miną wszystko wiedzącą. Zainteresowało mnie to. — No, mamo — wytłumaczył zniecierpliwiony —

nie sądzisz, że Iks, jak ci go składał, to już wiedział, że nie będą z babcią razem?

I tu mnie zamurowało.

Zaczęłam się zastanawiać, skąd u Syna taka wiedza na temat symptomów zwiastujących koniec związku. Żyjemy z Narzeczonym dość zgodnie od ośmiu lat, a nawet kiedy się kłócimy, to obiad jest dopieczony do końca, a i Narzeczony nie wysadza Syna kilometr przed szkołą. Żarówki są całkiem dokręcone, psy wyprowadzone jak trzeba, utwory wychodzące spod ręki Narzeczonego mają kodę, a moje teksty puentę. Być może więc Syn dokonał dogłębnej analizy porównawczej. Wyrysował tabele, zagłębił się w intencje, odrzucił części wspólne i wyszło mu, że tam się kończy, bo jest inaczej niż u nas. Bo rzeczywiście, jeśli miałabym teraz spojrzeć wstecz, zobaczyłabym wiele rzeczy, które zupełnie nie były takie, jak powinny. Zdecydowanie jednak Syn wiedział — i to mnie przerażało. Pomyślałam nawet, że może oni po prostu się z tym rodzą? Nieświadome kobiety wydają na świat idealnie zaprogramowanych chłopców, z całą gamą uśpionych możliwości, dzięki którym ich przyszłe lub przyszłe niedoszłe synowe nie będą miały łatwego życia. A jest tego multum. Nie wiem, czy ktoś zauważył, ale mimo naszej nieocenionej kobiecej intuicji to my częściej popełniamy tak zwane gafy pozwiązkowe. Odwiedzamy porzuconą przyjaciółkę z pudełkiem czekoladek i garścią przemyśleń w stylu: „Nie wiem, jak on mógł ci to zrobić?”, „Nie chciałam ci tego mówić, ale zawsze uważałam, że do siebie nie pasujecie”, „Byłaś dla niego za dobra”. Niestety, przyjaciółka wraca do porzucającego tydzień później, szybko zachodzi w ciążę, a nas nie chce znać. Facet nigdy tak nie zrobi. Nie dość, że wie, kiedy coś się kończy, na zdanie: „Kochanie, wiesz, że K. zostawił A.? Byli tacy szczęśliwi, nie wiem, co się stało?” zwykle odpowie ze stoickim spokojem, że zupełnie go to nie dziwi, i nie oczerni w geście sympatii ekdziewczyny przyjaciela, dopóki nie ma pewności, że do siebie nie wrócą. Czyli właściwie nigdy. Ba! Jest w stanie spotkać się przy piwie z byłym twojej najlepszej przyjaciółki, tym samym, który zostawił ją w tak paskudny sposób, i kompletnie

nie rozumie, dlaczego masz z tym problem. Syn też o Byłym Narzeczonym Babci wypowiada się oszczędnie, co zdecydowanie świadczy o wrodzonej gamie męskich atrybutów. Zresztą, jeśli się zastanowię, to ma ich zdecydowanie więcej.

Nie dalej jak półtora roku temu Syn zamarzył o psie. Jako że jednym z moich dziecięcych nie spełnionych marzeń było otrzymanie pięknie zapakowanego prezentu, postanowiłam upiec dwie pieczenie na jednym ogniu. Jeśli chodzi o marzenie Syna — pies miał być chihuahua. W moim marzeniu nie chodziło o to, co będzie w środku, liczyło się pudełko w paski i wielka, błękitna lub różowa wstążka. Niestety, dla mojej rodziny zawsze bardziej liczyło się wnętrze. Do tej pory Moja Matka w ostatniej chwili podrzuca pod choinkę cudowne dary w reklamówkach z przeróżnych sklepów. Tak oto w torebce z napisem TESCO dostałam ostatnio przecudnej urody kinkiety kryształowe. Dwa — za to w czternastu kawałkach, bo jak wiadomo, torebki niespecjalnie chronią przed stłuczeniem, a już te ekologiczne to w ogóle. Ucieszona, że mogę inaczej, kupiłam więc psa, pudło w paski, wstążkę i miałam nawet skrytą nadzieję, że podczas wręczania całość zacznie żyć swoim życiem, niczym muśnięta disnejowską kreską. Nie zaczęła. Trzęsła się za to straszliwie, bo zakupiona suczka chihuahua zamiast siedzieć w ślicznym pudle, wolała miejsce pod kanapą i za nic nie dała się przekonać. Syn został poproszony o zejście na dół, Narzeczony stał z kamerą, prezent zapakowany w końcu do pudełka drgał miarowo. Wieko zostało zdjęte i tu powinien nastąpić pisk radości, a szczeniak, przelewając się w rękach obdarowanego, winien natychmiast soczyście polizać go po twarzy. Oczywiście językiem o długości, której nikt się nie spodziewał. Nic z tego. Chihuahua patrzyła na Syna z przerażeniem, a Syn na nią z nie mniejszym. I wtedy to powiedział:

— Mamo, ja chyba nie jestem jeszcze gotowy...

Przypomniałam to sobie, kiedy spotkałam na grillu K. Fantastyczny, inteligentny K., otoczony od zawsze (czyli od jakichś czterdziestu lat) wianuszkiem kobiet, niedawno zwierzał mi się, że marzy o dziecku. Rodzina, dziecko, obiad — najwyższy czas. Ogarnęłam wzrokiem dziewczęta siedzące przy stole, potencjalne towarzyszki życia dla K. Jedna wstała. Różnica między talią, biodrami a biustem plasowała ją wśród fizycznie najlepiej przygotowanych do macierzyństwa kobiet, jakie widziałam w życiu. Obawiam się jednak, że zanim zacznie myśleć o macierzyństwie, minie jakieś dziesięć lat, studniówka, matura itp. K. zapłonęły oczy. Godzinę później wyszli razem z imprezy.

— Nie jestem jeszcze gotowy — powiedział na pożegnanie.

I rzeczywiście, gotowość rezygnacji ze wspaniałego seksu z dwudziestolatkami, imprez do rana, spania do południa, aneksu kuchennego zamiast kuchni, wolności w wyrzucaniu śmieci i ścieleniu łóżka, jest trudna. Rozumiem. To jak rezygnacja z siebie, jeżeli uznamy, że dotychczasowy tryb życia nas definiuje.

Syn, w przeciwieństwie do K., podjął się zadania. Halka jest jego psem, to z nim śpi, on po niej sprząta i zadziwia nas swoją odpowiedzialnością (Syn, nie pies). Więc może jest jeszcze dla K. jakaś szansa?

Do tego pocieszającego wniosku doszłam, kiedy wracaliśmy z pikniku. Syn wlókł się niemożebnie. Ja, znając już możliwości hamulców w moim źle złożonym rowerze, omal nie wjechałam mu w tył.

— Jedź szybciej — powiedziałam.

Syn natychmiast przyspieszył, oddalając się o dwieście metrów. Przerzutka nie chciała przeskoczyć.

— Poczekaj! — krzyknęłam.

— No przecież kazałaś mi przyspieszyć! — odkrzyknął Syn.

— Ale nie aż tak.

Syn poczekał. I znowu omal nie przytarłam jego tylnego koła.

— Przyspiesz — warknęłam.

Syn dał po hamulcach.

— Mamo! Czy ty się możesz zdecydować?! Szybciej, wolniej, szybciej, wolniej — jedno, czego się nauczyłem o kobietach w swoim życiu, to to, że nigdy nie wiedzą, czego chcą!

Durne seksistowskie bajki — pomyślałam — z durnymi seksistowskimi tekstami, które w ogóle, ale to w ogóle nie mają podstaw. No bo czy mój Syn nie wie, że gdybym miała rower dobrze złożony przez jakiegoś odpowiedzialnego mężczyznę, z działającymi przerzutkami, hamulcem i skręcającą kierownicą, tobym dokładnie wiedziała, w jakim tempie chcę jechać?

Rowerek treningowy

Kasia

Nie, zupełnie się nie zgadzam, że mężczyźni rodzą się z uśpionymi możliwościami utrudniania życia swoim przyszłym, niedoszłym, zaprzeszłym przyszłym, przyszłym eks itd. narzeczonym. To po prostu dzieci mają takie możliwości — czego do dzisiaj nie ogarniam rozumem ani intuicją, ani żadnym innym zmysłem, których mam, jak wiadomo, więcej niż każdy normalny człowiek, bo mi się wymieszały.

Niestety, również przywołam fragment swojego życia, kiedy moja mała Córeczka zamarzyła, żeby mieć psa. Ty nią byłaś we własnej osobie. Wyjechałaś z Tatusiem, a dzielna mamusia, która nie miała pod ręką żadnych pudełek (IKEA wtedy nie istniała) ani żadnych wstążeczek (wstążeczki były tylko do wieńców nagrobnych w komplecie z wieńcem i napisem „Ostatnie pożegnanie"), poszła w świat zrobić ci niespodziankę.

— Przysięgam, że będę go kochać, że będę się nim opiekować, że będę go karmić, że będę go wyprowadzać — brzęczało mi w uszach twoje oświadczenie.

Kupiłam ci najdroższego kundla w Układzie, wówczas Warszawskim, bo mnie pani oszukała, że to rasowy pudelek miniaturowy, a skąd ja mogłam wiedzieć, jak wygląda miniaturowy pudelek? W socjalizmie wszystko było duże, więc ta miniaturka też wydała mi się wyrośnięta, ale się nie kłóciłam, bo moja miłość matczyna była wielka, jako i jest do tej pory.

Nie miałam aparatu fotograficznego, który uwieczniałby radosny długi czerwony język psa na twojej buźce, ani nawet magnetofonu, który teraz jest w każdym telefonie, ba, nie wiem nawet, czy tego dnia telefon działał. Piesek zdążył przed twoim przyjazdem unicestwić nieodwołalnie dwadzieścia sześć słoików keczupu domowej roboty, dwadzieścia słoików kompotu truskawkowego i dwadzieścia słoików musu jabłkowego — pieczołowicie przygotowanych na zimę przez twoją Babcię i twoją Matkę — rozwalając w kuchni za drzwiami półkę, na której wyżej wymienione stały w oczekiwaniu na spożycie. Zdążył również zjeść dywanik w łazience i malowniczo obsikać całe mieszkanie, ze szczególnym uwzględnieniem odkrytych drewnianych podłóg. Kiedy przyjechałaś — siedział grzecznie przy mojej nodze.

— A gdzie pies? Obiecałaś! — krzyknęłaś od drzwi i już, już chciałaś się rozpłakać. Byłaś w wieku twojego Synka dzisiaj.

— Tutaj — powiedziałam, wskazując na drogocennego kundla, który siedział grzecznie przy mojej nodze i ani drgnął.

— Miał być żywy! — rozpłakałaś się, a on udawał pluszowego. Żadnych lizań, podskoków, przenoszenia półek, dywaników, sikania.

Pieska karmiłam ja, sprzątałam po nim ja, wyprowadzałam go ja, a ty łaskawie z nim czasem spałaś. A jednak wyrosłaś na ludzi, więc na podstawie obchodzenia się z psem nie wyciągałabym pochopnie daleko idących wniosków na przyszłość, jeśli chodzi o mężczyzn.

Ja bym na twoim miejscu byłych narzeczonych nie ruszała, ale skoro zaczęłaś, to bardzo proszę. Przypominam sobie zupełnie inną historię z rowerkiem. Ty miałaś lat trzynaście, bardzo były mężczyzna miał zaś koło czterdziestki i nogę w gipsie, którą sobie złamał, hasając z zupełnie inną panią niż ja, o czym ja nie miałam pojęcia, ale ponieważ wszystkie dzieci wiedzą, ty przeczuwałaś rozumnie koniec mojego nieszczęsnego związku. Noga byłego najpierw była w gipsie, potem musiała być reanimowana, więc przywiozłam od Babci rowerek, na którym były miał wracać do formy. Kierowana nadludzką intuicją, z której jeszcze nie zdawałam sobie sprawy, coś uczyniła? Najpierw prychałaś, że ja jeżdżę, załatwiam, przywożę, namawiam, troszczę się itd., a potem rozkręciłaś ten cholerny rower stacjonarny i poczekałaś, aż przyszły były na niego wsiądzie. Wsiadł, rower się pod nim zawalił, było dużo naszego śmiechu i rozwód. O czym to świadczy? O tym, że to my, kobiety, mamy nadzwyczajną intuicję. Od małego. Ledwie wyjdziemy z pieluszek, już wiemy, co w trawie piszczy. Może w niewłaściwy sposób pocieszamy przyjaciółki, matki, córki, a czasem zwykłe znajome, może one potem i zachodzą w ciążę, kiedy wspieramy je bardzo, tłumacząc wpierw, że od zawsze było wiadomo, iż to facet nie dla nich — ale z tych oraz innych związków rodzą się fantastyczne dzieci. Małe dziewczynki i mali chłopcy. Dziewczynki w wieku dwunastu, trzynastu lat wiedzą dużo więcej pożytecznych rzeczy na temat narzeczonych swoich mam. Albowiem rodzą się z taką zdolnością, która jeszcze nie jest zaszczuta przez tradycję i wychowanie, i parę innych istotnych rzeczy. Nikt ich jeszcze nie nauczył, że mężczyzna to wszystko w życiu kobiety, nikt im jeszcze nie wmówił, że należy się męczyć w imię jakiegoś nieokreślonego „dobra", nikt im jeszcze nie wdrukował, że bez faceta są nikim. Więc są radosne, spontaniczne, posługują się intuicją, są zabawne i jak zwierzątka wyczuwają niebezpieczeństwo, a ludziom dobrym okazują łagodność, miłość i zaufanie. Niestety, to mija, jako i mnie minęło na czas jakiś, ale przy odrobinie pracy można sobie przypomnieć, o co w życiu chodzi. Więc wracam do sedna, rodzą się dziewczynki i rodzą się chłopcy. Mali chłopcy również mają intuicję, ale przecież nie będą gadać w kółko jak te baby. Oni mają poważniejsze sprawy na głowie — rower, gry, a potem różne zabawki, takie jak samochód czy pracę. Wynika z tego, że tak się właśnie toczy nasze życie, i chwała temu życiu, które jest piękne, w którym nawet jest czas na piknik.

A jeśli chodzi o K., za którym również przepadam, tak właśnie będzie miał. Żadnego domu, żadnych dzieci, żadnej rodziny, tylko tysiące przecudnych kobiet przed maturą. Tak będzie trwało, dopóki nie zamieni swojego luksusowego samochodu na rowerek. I nie kupi sobie psa, rzecz jasna żywego. Tylko kto mu o tym ma powiedzieć?

Zdrada, czyli prewencyjnie doceniony

Dorota

Od czasu, kiedy podczas planowania wakacji mój przyjaciel Igor spojrzał mi głęboko w oczy i zapytał: „A ilu ty masz znajomych, którzy pracują na etacie?", po czym okazało się, że poza nim są tylko Karola i Jamie, ale Jamie jest pilotem jumbo jetów, więc nie wiem, czy to się liczy, zaczęłam bardzo doceniać swój wolny zawód. I fakt, że moje wakacje zaczynają się dokładnie wtedy, kiedy Mój Syn odbiera świadectwo. I nie muszę już rano wstawać, wszystkiego zapisywać, wozić na zajęcia i pilnować, czy jest przygotowany do szkoły. Oczywiście ma to też słabe strony — nienormowany czas pracy sprawia, że kiedy jestem zaangażowana w jakiś projekt, nie ma mnie dwadzieścia cztery godziny na dobę, niezależnie od weekendów. Jednak w ostatecznym rozrachunku i tak wychodzi na moje.

Tak więc mam wakacje.

Skłamałabym, mówiąc, że nie czułam ekscytacji na myśl o całym domu dla siebie.

Syn został wsadzony do autokaru wiozącego dzieci na pierwszy turnus obozu sportowego, Narzeczony wsiadł w samochód i odjechał na koncert do Trójmiasta, a ja szybciutko poradziwszy sobie z wyrzutami sumienia, że się nie martwię i nie tęsknię, zaczynam celebrować swoją samotność.

Jest cudownie — dom posprzątany, psy wyprowadzone, cisza, spokój i całe trzydzieści metrów kwadratowych ogródka tylko do mojej dyspozycji.

Syn dzwoni, że dojechał.

Narzeczony wysyła esemesa, że dojechał.

Nic tylko zacząć się cieszyć.

Tyle że jakoś za czysto i za cicho. Psy za spokojne, nikt nic ode mnie nie chce. Komary są. Dzwonię do Patrycji i wpraszam się na wczesną kolację.

Patrycja jak zwykle wygląda nieziemsko pięknie, bez grama makijażu, pod nogami plączą jej się dzieci, w otwartym komputerze nie dokończony projekt, a w ręku łyżka, którą od niechcenia miesza w trzech garnkach. Nie widziałyśmy się chwilę, więc Patrycja nie przestaje mówić, chyba że akurat próbuje tego, co właśnie miesza. W końcu podsuwa mi pod nos parującą łyżkę. Jest pyszne. Zupełnie nie wiem, jak ona to robi.

Patrycja wyciąga z szafek i lodówki wszystko, co może nam się przydać podczas plotkowania. Trzy rodzaje paluszków, greckie czipsy, ciasto marchewkowe, zdrowa mieszanka bakalii i chlebek „zdrowie". Obawiam się jednak, że jeśli dalej tak pójdzie, to zanim przygotujemy ten dwudziestodaniowy posiłek, zdążymy sobie powiedzieć absolutnie wszystko, co miałyśmy do powiedzenia. Po chwili razem kroimy sery i *panettone*, którą przywiozła z Włoch.

— O rany, nie powiedziałam ci najlepszego! — wykrzykuje nagle Patrycja, a ja upuszczam sobie na nogę ciężki nóż. — Ale lepiej usiądź.

— Pamiętasz tę Ankę? — pyta Patrycja — Tę, z którą byłam na warsztatach malowania intuicyjnego?

Oczywiście, że pamiętam — zawsze świetnie ubrana, figura modelki, trójka pięknych dzieci w równie pięknym domu, dwie restauracje, firma cateringowa i równie piękny mąż, choć zupełnie do niej nie pasujący. Jakiś taki wiecznie przygaszony.

— Ty wiesz, że on ją zostawił? — pyta Patrycja — On ją! — dodaje z naciskiem.

— Żartujesz?

— Wiesz, ja się nie dziwię, że to małżeństwo się rozpadło, bo od dawna uważałam, że do siebie nie pasują. Ona taka kolorowa, zabawna, spełniona, a on taki kompletnie z innej bajki. W ogóle nie rozumiałam, że ona się tak dla niego starała. Zawsze sądziłam, że sobie w końcu znajdzie kogoś lepszego. Ale że to on ją zostawi? W życiu się tego nie spodziewałam. — Patrycja zaczęła wyjmować talerze. — Zobaczysz, jaką mój mąż będzie miał minę, jak mu powiem, za nic nie uwierzy!

— O czym mi powiesz? — nawet nie zauważyłyśmy, jak Rafał wszedł do domu.

— Piotrek zostawił Ankę — oznajmiła Patrycja.

— Żartujesz — Rafał zamarł, a Patrycja spojrzała na mnie z satysfakcją.

— Ale tak po prostu?

— Normalnie, zapisał się na jogę, a po miesiącu powiedział Ance, że odchodzi.

— Z instruktorką jogi? — zapytaliśmy z Rafałem jednocześnie.

— Niee — odpowiedziała Patrycja — ale podobno jest inna kobieta, dużo młodsza — dodała z przekąsem. — Boże, jak mi żal tej Anki, trójkę dzieci mu wychowała, pracowała na dwa etaty i jeszcze wygląda jak milion dolarów… — Patrycja z ekscytacji wpadła w skrajne współczucie.

— A wiecie, że ja to się właściwie nie dziwię — powiedział Rafał po chwili zastanowienia

Spojrzałyśmy na niego pytająco

— To było do przewidzenia, przecież ona go od zawsze strasznie traktowała. Pamiętasz, jak byliśmy u nich na kolacji — zwrócił się do Patrycji — i ona go zaczęła opieprzać, że nalał herbatę do złej filiżanki? Albo jak pojechaliśmy na tenisa i ona opowiadała wszystkim, jaki kontrakt właśnie podpisuje i że to ciężko mieć samej wszystko na głowie, bo zarobki Piotra to ledwie starczają na szkoły dzieci? — Patrycja miała coraz szerzej otwarte oczy. — A te jej ciągłe uwagi, że ma zły sweter, złe buty, źle prowadzi… — kontynuował Rafał. — Ja się właściwie bardziej dziwię, że on aż tyle wytrzymał…

— Ale Rafał! Jak on mógł przekreślić dwadzieścia lat małżeństwa dla jakiejś głupiej małolaty? — zapytała Patrycja z rozpaczą

— Nie dla głupiej małolaty, tylko pewnie dla kobiety, która go doceniła. Po prostu nie dał się do końca wykastrować. — odpowiedział Rafał, odkładając buty do przedpokoju.

— Co na kolację? Jestem głodny jak wilk! — dodał i jak gdyby nigdy nic usiadł do stołu.

Widząc minę Patrycji, nie byłam pewna, czy Rafał zostanie za chwilę prewencyjnie doceniony, czy też czeka go karczemna awantura i częściowa kastracja. Nie będąc aż tak ciekawa dalszego rozwoju sytuacji, pojechałam do domu.

Z taksówki dzwonię do Narzeczonego, ale nie odbiera.

Pewnie nie skończyli jeszcze grać. Kilkanaście minut później rozkładam się w ogródku z komputerem i sprawdzam pocztę.

„Dowiedz się, czy on cię zdradza" — czytam tytuł jednego z maili, a niżej: „Rozwiąż nasz test, a poznasz prawdę o swoim związku".

Klikam — i tak nie mam nic lepszego do roboty. Odpowiadam na czterdzieści pytań, o staż, dzieci, dostępność jego komórki i częstotliwość wyjść oraz kłótni, po czym wysyłam odpowiedzi. Niestety stan mojego związku pozostaje nie rozstrzygnięty, bo postanawiam nie płacić 30 złotych za wyniki. Straciłam więc tylko pół godziny, a Narzeczony nadal nie odbiera.

Zaczynam się niepokoić. Może byłam dla niego ostatnio za ostra, ochrzaniłam go przy znajomych? Czy to już podchodzi pod kastrację? Wchodzę na Onet. Po lewej stronie wita mnie wielki nagłówek: „Prawie 50% Polaków zdradza!". O cholera, pięćdziesiąt procent w naszym związku to ja albo on, a skoro ja jestem wierna... Ale może badania kłamią. Statystycznie sprawdzam swoich znajomych.

Jest A., która formalnie zdradza, choć nie do końca, bo uważa, że seks to nie zdrada. I bardzo kocha swojego męża. Nie potrafię tego zrozumieć, ale najważniejsze, że ona może i jej z tym dobrze.

Następnie jest W., który mówi, że zdradza, ale trochę mu nie wierzę. Ostentacja, z jaką poklepuje pośladki wszystkich koleżanek swojej żony, najchętniej w jej obecności, świadczy tylko o tym, że chce zwrócić na siebie jej uwagę. Więc W. nie.

Potem J. Ona nie zdradza, ale jest zdradzana. Tyle że ma żonatego faceta. Od pięciu lat. I ten facet zdradza ją z własną żoną. Więc nie wiem, czy to się liczy.

N. i M. są sobie wierni — od dwunastu lat spędzili osobno trzy noce. Tę ostatnią dlatego, że M. spóźnił się na pociąg, więc z tęsknoty gadali przez telefon do szóstej rano i o mały włos nie spóźnił się na następny.

O. nie zdradza, bo nie zdąża. Ona się po prostu rozstaje.

F., odkąd spotkał K., też jest grzeczny, choć jeszcze rok temu było to mniej prawdopodobne niż wygrana w totka. Więc jednak nie jest najgorzej.

Narzeczony nadal nie odbiera. Żyje, bo dodzwoniłam się do jego menadżerki i są już po koncercie. Wysyłam mu obrażonego esemesa, ale zaraz potem następnego już w zupełnie innym tonie. Nie jestem głupia.

Zastanawiam się, co jest najgorsze w zdradzie, poza tym że okłamuje nas ukochana osoba, i dochodzę do wniosku, że bolałoby mnie to, że inna kobieta ze mną wygrała. Albo że wszyscy poza mną wiedzieli.

Pamiętam, jak w „czasach, kiedy nie było komórek" siedziałam sobie na ognisku u znajomych. Śliczny wieczór, ciepło, podchmielone towarzystwo. A. opowiadała mi właśnie jakąś niesamowicie zabawną historię.

— I wiesz, zostawiliśmy Majkę i Łysego samych, bo coś między nimi iskrzy — wtrąciła nieopatrznie

— Łysego? — zapytałam. — Ale Łysy jest przecież z M.

— No co ty, oni już dawno nie są razem — wytłumaczyła A. i próbowała kontynuować.

— Jak to nie są, kiedy jeszcze wczoraj byli, i przedwczoraj też — przerwałam jej.

M. to moja sąsiadka, przecież wiem, kiedy do niej przyjeżdża. A. zrobiła się najpierw czerwona, a po chwili blada jak ściana. Wstałam i odnalazłam wzrokiem Majkę.

— Czy ty wiesz, że Łysy chodzi z M.? — zapytałam.

— No co ty, on z nią zerwał jakiś miesiąc temu — uspokoiła mnie albo siebie. Nie wiem.

— Nie zerwał — powtórzyłam.

Podeszła do nas A.

— Ale Dorota, proszę, nie rób z tego afery — poprosiła.

Niestety było za późno. Wsiadłam na rower i pojechałam do domu. M. nie było. Wzięłam od jej mamy numer do Łysego i poprosiłam M. do telefonu. Opowiedziałam jej przezabawną historię z ogniska. M. oddzwoniła za 10 minut.

— Łysy mówi, że to jakaś plotka wstrętna. On nawet nie zna tej Majki — powiedziała uspokajająco.

Zobaczyłam ich w pizzerii dwa dni później. Majkę i Łysego. Nie wyglądali, jakby byli sobie obcy. Potem jeszcze w kawiarni i na imprezie u Karola. M. w tym czasie siedziała w domu i przygotowywała się do egzaminów. Niestety, ani M. nie chciała słuchać na temat zażyłości Łysego z Majką, ani Majka na temat związku Łysego z M. Łysy natomiast nadał mi ksywkę „wariatka". Najgorsze jednak było to, że wszyscy poza samymi zainteresowanymi wiedzieli. Przyjaciele Łysego zapraszali go na zmianę to z M., to z Majką. Nie mogłam na to patrzeć. Zadzwoniłam do A., błagając ją, żeby powiedziała M. prawdę. Że to nie może tak być. I gdyby nie fakt, że M. podniosła wtedy drugą słuchawkę i usłyszała A., która wymieniała, dlaczego nie może powiedzieć jej o zdradzie, prawdopodobnie bujałaby się z Łysym do dziś.

Następnego dnia pojechałam z M. i z jej ojcem do domu Łysego i zabrałyśmy rzeczy. W tym wszystkim najgorsze było dla niej nie to, że zdradzał ją z inną, ale to, że zdradzili ją wszyscy dookoła.

To było kilkanaście lat temu, a mam wrażenie, że nic się nie zmieniło.

Nadal jesteśmy jak wtedy w liceum, tyle że teraz miejsce chłopaka zastąpił Mąż. Lub Narzeczony, którego niewierność staje się oczywistą oczywistością w obliczu nieodbierania moich telefonów po koncercie.

Może powinnam być bardziej uważna, mniej ufna? W przeciwnym wypadku mogę skończyć jak K., która przez pół roku podejrzewała, że coś jest nie tak, a o swoich wątpliwościach mówiła tylko po butelce wina, następnego dnia wszystko łagodząc i zaprzeczając własnym słowom. W końcu w komputerze męża odkryła maile, w których było wszystko, co chciała od niego kiedykolwiek usłyszeć. Niestety, nie była adresatką.

Co prawda wrócił do niej cały — ciałem i głową, nie tylko z poczucia winy, ale chyba też z wielkiej miłości. K. jednak jest rozdarta. Nie wie, czy takie rany się goją, i kompletnie nie radzi sobie z tymi, którzy „musieli wiedzieć".

Strasznie mi jej żal. Jej i jego. I zupełnie nie wiem, jak bym się zachowała w takiej sytuacji. Nie wiem, kiedy zaczął się jego romans. W jakich okolicznościach. Nie był nigdy kastrowany przez

K., ma własną pasję, chodzi na piwo z kolegami. K. dobrze gotuje, dba o siebie, jest niezależna. Więc czego jeszcze szukał? Kiedy przekroczył granicę, przed którą miał jeszcze szansę się wycofać? Czy w ogóle wiadomo, kiedy zaczyna się zdrada? Dlaczego z jednym można sobie pozwolić na ostry flirt, z którego nic nie wynika, a z innym niebezpieczne staje się już zbyt długie spojrzenie? Strasznie to wszystko trudne.

Narzeczony nadal się nie odzywa, a moja wyobraźnia zaczyna pracować.

Świta i robi się chłodno — wracam do domu i idę pod prysznic.

Nagle wszystko staje się jasne. To oczywiste, że on ma coś na sumieniu i ja nie będę udawać, że nic się nie dzieje. Dlaczego ja nigdy nie sprawdzam jego telefonu? I ta Aga, menadżerka cholerna, na pewno o wszystkim wie. I się teraz ze mnie śmieje, że jestem głupia... Że też po ośmiu latach postanowił mnie tak potraktować.... Schodzę na dół po telefon, żeby zakończyć tę farsę i właśnie postanawiam wybuchnąć płaczem, kiedy ktoś przekręca zamek. W drzwiach stoi Narzeczony.

— A więc to tak! — wykrzykuję, zaskakując sama siebie.

— Postanowiłem do ciebie wrócić od razu po koncercie, bo się stęskniłem — tłumaczy. — Chciałem ci zrobić niespodziankę. Mam nadzieję, że Aga się nie wygadała.

— Phi, sprawdzasz mnie po prostu — odpowiadam — ale to nie szkodzi. Zazdrość w niewielkich dawkach jest bardzo zdrowa — dodaję i natychmiast postanawiam, że już nigdy nie będę czytać głupich statystyk ani tym bardziej nikogo kastrować.

W końcu za każdą zdradą stoi decyzja, której po prostu nie trzeba podejmować. I tego się będę trzymać.

Zasługujesz na kogoś lepszego

Kasia

Lubię słońce, które w lecie zachodzi dużo bardziej na zachodzie niż w zimie. Lubię czerwono-pomarańczowe brzozy w świetle przedostatnich promieni, czasem już nie widać tarczy słońca, ale jeszcze kora brzóz różowieje, a na niebie rozlewa się różowiutka, granicząca z najgorszym kiczem, przetykana gdzieniegdzie granatem plama, z której jeszcze ciekną złotawe błyski, a potem wszystko pomaleńku ciemnieje, zwierzyna się uspokaja, gdzieś tam w zaroślach krzyknie jakiś ptaszek, który trafił nie do tego gniazdka co trzeba, troszkę grają świerszcze albo inne trutnie, ale przyroda łagodnie zapada w drzemkę — i taką porę wieczoru również lubię. Lubię ciepłe noce, bo wtedy można siedzieć na tarasie, nie muszę wyjeżdżać, żeby w ciszy odpoczywać, napawać się, marzyć, tęsknić albo przyjmować gości, którzy letnie noce też lubią.

Ale dzisiaj jestem sama. Niebo odbija się w moim maleńkim wodnym oczku, lekko szumi woda spadająca po kamieniach, a ja zastanawiam się, jak to jest, że ludzie są ze sobą, kochają się, a pewnego dnia oznajmiają, że już nie. Po prostu nie. Już dosyć. Nigdy więcej. (Żeby nie powiedzieć — nigdy w życiu).

Moim zdaniem, niestety, są dwa rodzaje rozstań — rozstania słuszne i niesłuszne. Rozstania niesłuszne następują wtedy, kiedy ktoś się z nami rozstaje. Z mojego doświadczenia oraz doświadczenia licznych kobiet, które mi się zwierzały, wynika, że mężczyźni podczas rozstania najczęściej mówią:

— Jesteś najlepszą rzeczą, jaka przydarzyła mi się w życiu.

Ale:

— Potrzebuję przestrzeni.

— Wierz mi, żadna inna kobieta nie wchodzi w rachubę.

— Nie jestem ciebie wart.

— Zasługujesz na kogoś lepszego.

Najczęściej wszystkie te zdania są połączone w jedno długie, nawet nie współrzędnie złożone, tylko jakiś zlepek zdań, wyrzucony tonem psa spaniela, gdyby spaniel tak mówił, jak patrzy (lub w ogóle mówił), a tobie serce staje ze wzruszenia, przerażenia, żalu (że on taki biedny, ale też cię tak docenia). Jesteś prawie przekonana, że chodzi mu o twoje dobro, i tego się trzymasz jeszcze przez chwilę, w ogóle nie wierząc w proste fakty — takie jak jego, na przykład, wyprowadzka.

Po szoku spowodowanym nagłym wyjściem Narzeczonego, Męża, Przyjaciela, Kochanka i szybkiej wyprowadzce (jeśli mieszkali razem, oczywiście) wszystko staje się jasne. Bierze delikwent porządny (bo o takim mowa) walizkę i się wynosi.

Jeszcze myślisz, że jego rower w komórce został, ale rower już dawno wywieziony, dwa miesiące temu, do naprawy, mimo ze grudzień był na przykład.

Schodzisz do piwnicy — a tam posprzątane, półeczka, o którą trzy lata prosiłaś, przykręcona, tylko narzędzi nie ma.

Rachunki domowe, którymi zwykle się zajmował — na półeczce, poukładane, żeby ci kłopotu dodatkowego nie robić.

Pies zaszczepiony, samochód po naprawie, rower nie ma obluzowanego łańcucha, zlew przetkany, okno się zamyka.

Nagła jasność umysłu: tyle lat (miesięcy/dni/godzin) czekałam, prosiłam, marudziłam, a tu wszystko przygotowane, zrobione, naprawione — jemu na mnie zależy, prawda?

O naiwności święta kobieca, gdyby mu zależało, toby nie poszedł. Wszystko to porządny mężczyzna robi w ramach oczyszczenia własnego sumienia, bo czasami takowe posiada.

Zdrajca, wiarołomca, kłamca! To te epitety, które mogę przytoczyć i które papier przetrzyma.

Otóż nie. Może i zdrajca, może i wiarołomny, ale kłamca — w żadnym wypadku. Co ci powiedział, kobieto, na pożegnanie?

Że jesteś najlepszą rzeczą, jaka mu się zdarzyła w życiu. I to jest prawda. Będzie to wiedział za jakiś czas, kiedy mu nowa kobieta troszkę spowszednieje, jak się okaże, że kłopoty te same, tylko na nowo, jak się zorientuje, że ona go nie rozumie, jak przestaną codziennie spać ze sobą i się okaże, że głowa ją boli.

Owszem, teraz to wie i będzie wiedział później. Nie kłamie.

Że potrzebuje przestrzeni? Oczywiście. Każdy potrzebuje. Ty też potrzebujesz. Więc dlaczego myślisz, że nagle zdanie „nie potrzebuję przestrzeni" byłoby bardziej na miejscu? Nie przesadzaj.

Co dalej?

— Wierz mi, żadna inna kobieta nie wchodzi w rachubę.

Oczywiście, że nie. To jest absolutnie pewne. To jest właśnie oczywista oczywistość. Na pewno. Ona nie wchodzi, ona już weszła. W rachubę, w plany, w życie, do łóżka. To się nie stało dzisiaj. To trwało już od dawna, a dziś on się po prostu zdecydował. Więc czas teraźniejszy określa prawdziwość. Gdyby to zdanie powiedział w czasie przeszłym, miałabyś powód do tego, żeby go odsądzać od czci i wiary. Ale akurat nie masz żadnego powodu.

— Nie jestem ciebie wart.

To pewnik. To jak dwa razy dwa. To oświadczenie, które podpisze każda twoja przyjaciółka, każdy, kto cię zna i lubi, każdy, kto wiedział o twojej wielkiej miłości, każdy, kto widział was razem, a teraz widzi ciebie samą. On nie jest ciebie wart, czego jeszcze nie przyswajasz, jeszcze nie rozumiesz, jeszcze byś chciała mieć takiego mniej wartego, ale on to już wie. Czysta żywa prawda.

— Zasługujesz na kogoś lepszego.

Oczywiście! To jasne jak słońce, że zasługujesz na kogoś, kto cię nie będzie zdradzał, oszukiwał, zwodził, kto będzie umiał rozmawiać o problemach, które się pojawiają, kogoś, kogo będziesz mogła obdarzyć zaufaniem i kto cię będzie wspierał.

Widzisz, że nie kłamał?

To tyle, jeśli chodzi o rozstania niesłuszne.

Teraz rozstania słuszne. Rozstania słuszne to te, kiedy my postanawiamy się z kimś rozstać.

I w zależności od tego, kto się pod tym podpisuje, jest to prawda obiektywna, czyli jedyna, bo innej nie ma.

Nasz porzucony przyjaciel ma rację, nasza porzucona przyjaciółka zasługuje na współczucie. Obcy (czyli te drugie połówki naszych bliskich) zawsze są winni. Tak po prostu skonstruowany jest świat, w którym i tak trudno się poruszać.

Ale nie chciałabym być na miejscu pewnej M., która dowiedziała się o romansie męża, a właściwie o jego drugiej rodzinie w innym mieście, w kostnicy, gdzie musiała zidentyfikować ciało. Oraz poznać tamtą panią, która z nim jechała, ale przeżyła i na pogrzebie płakała bardzo. Nie chciałabym być na miejscu Z., której mąż powiedział po dwudziestu pięciu latach, że jest najważniejszą osobą w jego życiu i że na pewno się nigdy nie ożeni, ale odejść musi — i który jest już dwa lata po ślubie z zupełnie inną panią.

Nie chciałabym dowiedzieć się jak A., że mąż mnie zdradza, z listu od pewnej pani wraz z plikiem zdjęć — kiedy to rzekomo był służbowo zupełnie gdzie indziej. Zresztą następczyni A., wygrawszy batalię o niewiernego męża, dowiedziała się, że sama jest zdradzana, nie za sprawą listu. Następczyni numer dwa była bardziej hardkorowa i w jej szlafroku zostawiła swoje figi, wtedy kiedy następczyni numer jeden wyjechała do rodziców. Dobre! Wkrótce następczyni numer dwa dowie się o numerze trzy, chyba że z numerem trzy on wcześniej zerwie, bo mu zależy na dziecku, które ma z następczynią numer dwa. Co ciekawe, w ogóle mi tych kolejnych następczyń nie żal, mimo że są lub będą w identycznej sytuacji jak A.

Mąż K. zaś, który zostawiał po domu liściki: „Kocham cię", „Jesteś dla mnie wszystkim", „Dzień dobry, słońce", zapytany, dlaczego to robił dwa dni przed jej porzuceniem, odpowiedział:

— Chciałem ci osłodzić te trudne chwile.

No, panie, nóż się w kieszeni sam otwiera.

A mąż przyjaciółki Agnieszki, który pozwolił żonie ukochanej cudne święta dla rodziny zrobić — trzy dni kobieta się uwijała, żeby godnie rodzinę męża przyjąć — a w drugi dzień świąt oświadczył, że odchodzi?

— Teraz mi to mówisz? — krzyknęła ona zrozpaczona.

— Nie chciałem ci psuć świąt — powiedział i się obraził, że ona jego dobrego serca nie doceniła.

Ale znam związki, które przetrwały zdradę. Ci ludzie się naprawdę kochali i postanowili być razem — mimo wszystko. Mozolnie latami odbudowywali zaufanie i są ze sobą do dziś. Stworzyli nową jakość — dowiedzieli się również, czego brakowało ich związkowi, i postanowili to sobic dać, a nie powtarzać te same błędy z kim innym. Więc dobry związek przetrwa wszystko, chociaż bywa to bolesne, byle jaki się rozpadnie. A może są związki, które po prostu się dopełniły i możemy iść nową drogą, nie zostawiając za sobą zgliszczy? Nie mam pojęcia. Ale nikomu nie życzę zdrady. Ani swojej, ani partnera. Dźga w samo serce. I ja też nie wiem, gdzie jest ta cieniutka maleńka graniczka — kiedy jedna wspólna kawa prowadzi do wspólnego życia, podczas gdy spanie wspólnie w jednym łóżku — nie. Chyba każdy z nas tę granicę nosi w sobie. Jeśli przypadkiem ją uchyla, czasem się wdziera coś, nad czym już nie możemy zapanować.

Czyli jednak miłość to pamiętanie, że kogoś się kocha, nawet jeśli chwilowo jesteśmy na tego kogoś wściekli.

Ciekawe, że akurat w taki cudny czas o tym rozmawiamy. Może dlatego, że zaczynają się wakacje? A na wakacjach, wiadomo... Słońce zachodzi...

Chociaż kiedy ja się zakochałam, właśnie wschodziło...

Skacz!
Nie skacz!

Lipiec

Sezon grillowy na rejonie
Dziewczęta w stanie ciekłym.
Matka nurkuje...

Zamknij oczy

Dorota

Wakacje w pełni. Wiem, bo jakoś częściej natykam się na Syna, który informuje mnie, że się nudzi, skrzynka na listy jest pełna gazetek reklamowych z marketów budowlanych, a telewizor w przerwach na reklamy zachęca do wzięcia szybkiego kredytu na wycieczkę na Kretę lub remont. Nie chcę na Kretę, za to zupełnie od niechcenia zaczynam kreślić jakieś plany, co by było, jakby tę ściankę tu, a tu szklane drzwi... Ekipa remontowa staje w progu, zanim zdążyłam wszystko zaprojektować. Łudzimy się, że przecież można mieszkać w remoncie. Po dwóch dniach nie ma już kuchni ani łazienek, za to jest mnóstwo pyłu.

— Do połowy sierpnia powinni skończyć — tłumaczę Narzeczonemu, kiedy w popłochu wywozimy psy i co cenniejsze rzeczy do Matki i ruszamy do Zakopanego.

Jedenasty telefon od szefa mojej ekipy odbieram tuż po wjeździe na zakopiankę. Tym razem chodzi o narożniki i cięcie kafelków. Nie da się. Przy skręcie na Bukowinę już się da — dwunasty telefon. Narzeczony zestresowany, bo zaraz zacznie się próba do koncertu, którym ma dyrygować — orkiestra symfoniczna, kapela góralska, a do tego niepełnosprawne dzieci z Fundacji Jędrka Brandstaettera. Porzuca nas w Kościelisku u Ewy i Józka, a sam jedzie dalej. W trzynastym telefonie od ekipy dowiaduję się, że najprawdopodobniej nie zdążą do połowy sierpnia — właśnie stoję przed karczmą, w której ma się odbyć wspólna fundacyjna kolacja. Jestem wściekła. Syn woła, że beze mnie nie wchodzi. Rozłączam się. Wciąż wściekła otwieram drzwi i nie jestem w stanie zrobić kroku. Gwar, śmiech, gdzieś w kącie gra kapela góralska, ktoś łowi pstrągi w strumieniu, który płynie pod podłogą, grupa ślicznych dziewczyn śpiewa jakąś wesołą piosenkę. Tyle że ponad połowa sali to niepełnosprawni, wózki inwalidzkie, laski niewidomych, dorosłe twarze w ciałach kilkulatków. Uspokój się, kretynko — karcę się w myślach — przecież jesteś tolerancyjna, jaki przykład dajesz dziecku? Syn patrzy na mnie niepewnie — uśmiecham się i ruszam do stolika. Po drodze kogoś potrącam. Niewidomy. Kompletnie nie wiem, jak się zachować, więc wylewnie go przepraszam. Pewnie zbyt. W tym momencie dogania nas Ewa i przedstawia po kolei podopiecznych fundacji — sztywno, ale z uśmiechem podaję rękę kolejnej osobie. Jezu! Przecież ona nie widzi! Dziewczyna po omacku poszukuje mojej dłoni.

— Musisz ją złapać za ramię, tak jak wtedy, kiedy chcesz coś powiedzieć — tłumaczy mi spokojnie jej matka.

Chce mi się płakać. W końcu siadamy przy stoliku. Z mikrofonu płyną podziękowania. Dumny Jędrek łamiącym się głosem przemawia do „swoich" dzieciaków, siedząc na specjalnym skuterze. Ma SM i o mały włos w ogóle by nie przyjechał, bo nagle stracił czucie w rękach. Dzieciaki śpiewają dla niego piosenkę niespodziankę. Małgosia, żona Jędrka, wyciera mu łzę płynącą po policzku.

— Cała idea polega na tym — tłumaczy mi Ewa — żeby uzdolnione wokalnie dzieci z całej Polski mogły się integrować z naszymi dzieciakami i poznawać góralską muzykę. — Patrzę na nią. — Taką prosto z serca — dodaje.

Doskonale wiem, o czym mówi. Syn przepycha się do stołu, żeby zwinąć kolejnego pączka. Po tym, jak wyłowił spod podłogi cztery pstrągi, które właśnie wylądowały na naszych talerzach, dowiedział się, dlaczego tak szybko biorą.

— Po prostu są głodne — wytłumaczyłam mu, więc teraz je dokarmia.

Przez resztę wieczoru pstrągi już nie biorą. Chwilę później Ewa poznaje go z Marcinem, który jeździ na wózku. Zanim zaczną się gonić między stolikami, Syn zadaje pytanie:

— A lepiej jest być pełnosprawnym czy niepełnosprawnym? — słyszę.

Mam ochotę natychmiast go powstrzymać, ale to Ewa powstrzymuje mnie ręką. Marcin sobie radzi.

— A wiesz, że tańczę w turniejach tańca towarzyskiego? — pyta Syna. — Z pełnosprawną partnerką — dodaje z dumą.

Po chwili chłopcy dochodzą do wniosku, że to bardzo wygodnie mieć głowę na wysokości jej spódnicy, szczególnie gdy kręci piruety. Kiedy trzy godziny później wychodzimy, zatrzymuje nas niewidoma Patrycja. Gada jak nakręcona i co chwila wybucha zaraźliwym śmiechem. Syn nie może uwierzyć, że tak jak on uczy się w szkole muzycznej, tyle że musi wszystkie nuty od razu znać na pamięć.

— A jak ty sobie wyobrażasz różne rzeczy? — pyta, a ja znowu mam ochotę zasłonić mu usta.

Patrycja opowiada o kształtach i plamach światła. Chwali się rolą w musicalu.

— Ale uwielbiam tu przyjeżdżać, wiesz, bo te góralki to mają takie zajadłe głosy, a ja mam taki szpiczasty, za nic ich nie przekrzyczę! — tłumaczy.

Przestaję odbierać telefony od mojej ekipy, bo to właściwie wszystko jedno, kiedy skończą.

Dwa dni później wiem już, że jak się mówi do człowieka na wózku, to się po prostu trzeba schylić, niewidomego wystarczy dotknąć i nakierować, kompletnie nie rozumiem, z czym miałam problem. Niewidome dzieciaki proszą mnie o maila do Narzeczonego. Dyktuję, a ich opiekunowie notują. Nic mnie już nie dziwi. Kiedy dopada mnie kolejna osoba, znów z prośbą o podanie kontaktu, machinalnie recytuję adres mailowy. Dziewczyna mruga oczami.

— Ale ja nie widzę — tłumaczy.

— Wiem — odpowiadam — ale przecież możesz poprosić mamę albo opiekunkę o pomoc — mówię, zanim pomyślę. Dziewczyna się rozpromienia.

— A wiesz, chyba masz rację, to może być fajne — odpowiada, nie przestając bawić się moim pierścionkiem. — I proszę jeszcze przekazać panu Adamowi, że ma niezwykły głos, taki spokojny i ciepły.

Przekazuję.

Narzeczony we fraku udziela ostatnich wskazówek orkiestrze, a frak ma niesamowity — z ogonem z folii, kołnierzem ze skóry i naszytymi kryształkami. Podchodzi do niego ojciec z niewidomym synem:

— Przepraszam, ja mu tylko chciałem pokazać, jak wygląda ten pana frak — tłumaczy.

Palce chłopca przesuwają się powoli po materiale, badając fakturę.

— Ale super! — mówi. — A tu jest takie szeleszczące! — Jest zachwycony. Narzeczonemu nagle coś wpada w oko i zaczyna szybko mrugać. Próba dobiega końca.

Godzinę później stoję wśród tłumu w dusznym namiocie i słucham koncertu, usiłując się nie rozpłakać. Na scenie dzieje się coś niebywałego. Niepewne postaci, które wchodząc, łamiącym się głosem odpowiadają na pytania prowadzących, znikają, gdy tylko zabrzmią pierwsze takty muzyki. Jakaś nieodgadniona moc sprawia, że nagle stają się dźwiękiem, czystym talentem, wszechogarniającym uczuciem. Nie ma ciała, jest muzyka i są emocje. Syn trąca mnie łokciem:

— Mamo, ci niepełnosprawni to są chyba bardziej sprawni od pełnosprawnych, co?

— No — odpowiadam zduszonym głosem, bo na nic innego nie mogę się zdobyć.

Nie milkną owacje na stojąco, kiedy wymykamy się do tylnego wyjścia, żeby pogratulować Narzeczonemu. Dzwoni mój szef ekipy, że będzie problem ze skończeniem do końca września.

— Nie szkodzi — odpowiadam.

Narzeczony schodzi ze sceny.

— Cały czas łapałem się na tym — opowiada — że odwracam się do wokalisty, żeby dać mu znak, kiedy ma zacząć śpiewać, że to już... Ale potem zrozumiałem.

Patrzę, niego pytająco.

— Wiesz, co może zrobić dyrygent, kiedy ma niewidomego wokalistę? Po prostu zamknąć oczy.

Otwórz oczy

Kasia

Twoja opowieść z wakacji przypomniała mi naszą, sprzed wielu, wielu lat, podróż autobusem linii B do Wilanowa. Wilanów był mniej więcej na końcu świata, biorąc pod uwagę, że mieszkałyśmy wtedy w zupełnie innej i dalekiej dzielnicy Warszawy. Jechałyśmy na ten koniec świata z naszym psem Supłem. Dla młodej matki (czyli mnie) autobus plus dziecko (czyli ty), plus pies (bez kagańca, bo nie mogłam znaleźć) — równał się stres nie do pokonania, który owocował bez przerwy mniej więcej następującym monologiem wewnętrzno-zewnętrznym:

— Nie zbliżaj się, nie oddalaj się, nie odchodź, nie podchodź do krawężnika, trzymaj psa, oddaj smycz, siad, nie ruszaj się, masz bilety i ich pilnuj, nie wiem, kiedy przyjedzie, po co ja w ogóle jadę z dzieckiem i psem na drugi koniec świata, nie kupię teraz lodów, to idź z nim na trawnik, niech on nie szczeka, czy nie możecie usiąść, czy nie możecie wstać, pilnuj go, to nie był mój pomysł, żeby go zabrać, to twój pies, nie, nie możemy tam iść na piechotę, nie wiem, jaka będzie pogoda, ty skasujesz bilety i tak dalej.

Ty chciałaś iść z psem na skwerek (przecież będę widziała autobus), ty chciałaś kupić lody (to przecież parę kroków), ty chciałaś trzymać psa (przecież to mój pies), oddalić się (on musi się wysikać), zobaczyć (o, jakie fajne, zaraz wrócę), sprawdzić (tylko podbiegnę i sprawdzę, czy na pewno), obejść (gdybym poszła dookoła, czy wróciłabym z tej strony?) i tak dalej.

Ja natomiast chciałam, żebyś była przy mnie, bo autobus mógł nadjechać lada chwila, bo pies, bo stopień, bo... cokolwiek.

Potem autobus linii B podjechał, usiadłyśmy z tyłu, pies na moich kolanach, ty obok, chwila spokoju, kiedy matka ma mniej więcej wszystko pod kontrolą. Ludzie wsiadali i wysiadali, między przystankami ty przylepiona do szyby, zadawałaś dwieście pięćdziesiąt tysięcy pytań, w rodzaju: skąd to się tu wzięło; dlaczego takie, a nie inne;

po co to stoi; czemu ci ludzie; jak jest na Księżycu, czy też są autobusy; dlaczego nie jedziemy tramwajem; a dlaczego wujek Andrzej ma samochód, a ty nie masz i tak dalej, i tak dalej. Na Marszałkowskiej do naszego autobusu weszła pani z synkiem. Trzymała go kurczowo za rękę (a ja cię nie trzymałam, boś nie chciała), posadziła przy oknie, sama siadła obok i zaczęła grzebać w torebce.

— Pojedziemy cztery przystanki. Szukam biletu, tu gdzieś włożyłam — mówiła do synka — kasownik jest w następnym rzędzie, zaraz skasuję za nas bilety — informowała jego i mnie, i parę innych osób przy okazji. Chłopiec siedział sztywno i nie był zainteresowany rozpoczęciem fascynującej podróży przez stołeczne miasto Warszawa.

Popatrzyłam z zazdrością. Bardzo proszę, grzeczne dziecko, siedzi spokojnie, nie odzywa się, matkę jedynie ma nadpobudliwą, bo tłumaczącą się ze wszystkiego, co robi, robiła i będzie robiła, zupełnie niepotrzebnie. Chłopczyk milczał. Matka położyła torbę na siedzeniu i wstała.

— Gdzie idziesz? — zaniepokoił się chłopiec.

Siadła z powrotem, na brzeżku siedzenia.

— Przecież mówiłam ci, że skasuję bilety. Kasownik jest przed nami, więc teraz pójdę i skasuję bilet, zostawiam torebkę. — Położyła dłoń chłopca na torbie, przypominając mu, żeby pilnował. Westchnęłam, choć tłumaczenie dziecku, gdzie jest torebka, kasownik i matka, wydało mi się nadto opiekuńcze, żeby użyć eufemizmu.

— Wrócisz zaraz? — zapytał chłopiec, podczas kiedy Moja Córka rozważała, czy będzie mogła spuścić psa i trochę za nim pobiegać, bo przecież nie jest już mała, i że ja w ogóle nigdy, ale to nigdy nie pozwalam, a ona by chciała, bo jej koleżanka Ania to już, i tak dalej.

— Oczywiście, że zaraz wrócę, tylko skasuję bilety, nie możemy jechać bez biletu. Pójdę do kasownika, a ty tu grzecznie na mnie poczekasz, dobrze?

No cóż, różne są matki. Różne są dzieci. Moje by się ucieszyło, jakbym tak zniknęła mu z oczu chociaż na kilka minut. I swojemu nie muszę tłumaczyć, że idę skasować bilety, tylko proszę, żeby skasowało. Ja nadopiekuńcza nie jestem, okazuje się.

Pani wstała i zaczęła przechodzić do przodu. W tym momencie autobus zatrzymał się i weszło dość liczne rozbawione towarzystwo w wieku nie do zniesienia, jakieś piętnaście, szesnaście lat, i radośnie rozstawiło się w przejściu, chichocząc i prezentując swoje cudne młode, niezrażone trudnościami życia wdzięki. Pani od chłopca przedarła się przez młodzież, autobus ruszył. Chłopiec wyostrzył się — zesztywniał, wyprostował, podniósł głowę jak przestraszone zwierzątko.

— Mamusiu — powiedział cicho. — Mamo.

No ładnie. Matka trzy metry przed nim, a on już chce do niej. Był niewiele młodszy od Mojej Córki, która właśnie informowała mnie, że na wakacje to pojedzie na obóz zuchowy, bo tak, z samymi, ale to samymi koleżankami.

— Mamo — powtórzył chłopczyk, a matka właśnie kasowała bilety.

No jasne, chłopiec. Ci nigdy nie przestają myśleć o mamie, pomyślałam z lekką irytacją.

Wszystko jedno, czy mają osiem lat, czy czterdzieści osiem. Bez mamy ani rusz.

— Mamo! — podniósł głos chłopiec, ale w tym momencie dziewczyny w wieku nie do zniesienia zaniosły się radosnym śmiechem.

— Mamo! Mamo! Gdzie jesteś! — krzyknął chłopiec i przesunął się na miejsce matki, potem wstał, przyciskając jej torebkę, a potem zupełnie bezsensownie, bo przecież matka była przed nim, odwrócił się w moją stronę i wyciągnął przed siebie rękę, szukając matki zupełnie nie tam, gdzie poszła. W sekundzie była przy nim, objęła go za ramiona i przytuliła.

— Tu jestem, kochanie, mówiłam ci, że idę skasować bilet, siadajmy, teraz będziemy przejeżdżać przez duży plac. Wszystko ci opowiem.

Chłopiec odwrócił się do niej, a ja ciągle miałam przed oczyma jego niewidzące oczy, jakby przymknięte, z wąziutką szparą samego białka.

Wysiedli na następnym przystanku.

— Widziałaś tego ślepego chłopca? — zapytała mnie Moja Córka.

— Nie mówi się ślepy, tylko niewidomy — poinformowałam Moją Córkę dość nieprzyjemnym tonem, bo co miałam zrobić, kiedy wstydziłam się samej siebie.

A na dodatek, w przeciwieństwie do niej, byłam wstrząśnięta.

Byłam wstrząśnięta. Nie, wcale nie tym chłopcem, wiedziałam już od dawna, że na świecie żyją ludzie niewidomi, że nieszczęścia się przydarzają. Byłam wstrząśnięta swoim sposobem myślenia, swoim wyobrażeniem, własnym filmem, który puściłam sobie pewnego dnia w autobusie linii B, w drodze do Wilanowa. Filmem, w którym główne role przydzieliłam jakiejś kobiecie — wiedziałam o niej wszystko, że jest nadopiekuńcza, kontrolująca, za dużo gadająca, i jakiemuś chłopcu — ten, jak każdy mężczyzna, zawsze potrzebował trzymać się maminej spódnicy. Filmem, w którym ja wiedziałam lepiej, o co chodzi. I nawet przez sekundę byłam zazdrosna, że ten chłopiec przynajmniej nie odbiega bez przerwy od matki, tak jak Moja Córka ode mnie. *Veni, vidi, fugi*. Weszłam, zobaczyłam, uciekłam. A na domiar wszystkiego — oceniłam, wyciągnęłam wnioski, porównałam — i okazało się, że to ja nie widzę.

Wtedy po raz kolejny zobaczyłam to, co dotyczy nie tylko mnie — że widzę, co chcę zobaczyć, że wiem lepiej, że nie zadaję sobie trudu, by zrozumieć, że oceniam. Ale też szczęśliwie zobaczyłam, że błądzę. Od tamtej podróży już staram się patrzeć uważniej — nie wyciągam pochopnych wniosków i przestaję się bać Nieznanego. Nie jestem taka sama jak niewidomy — bo widzę, nie jestem taka sama jak osoba bez nóg — bo mam nogi. Jest mi łatwiej. Ale nie porównuję, bo uczucia i pragnienia mamy te same. I talent też kwitnie w każdym z nas. I chyba chodzi o to, żeby — niezależnie od tego, czy mamy wzrok, czy nie — szeroko otworzyć oczy i nareszcie zobaczyć rzeczywistość.

Powrót na rejon

Dorota

Nie można tak po prostu ignorować faktu chwilowego nieposiadania domu, szczególnie kiedy mieszka się u Matki na dwunastu metrach kwadratowych z psami, Synem i Narzeczonym. Tych metrów mogłoby być więcej, gdyby nie fakt, że Matka również postanowiła robić remont (wyłączając z użytku piętro), zupełnie jak wujostwo (remont przed sprzedażą domu) oraz najlepsza przyjaciółka (remont domu babci, który popadł w ruinę). Oczywiście mogłabym skupić się na poszukiwaniu miejsca, gdzie nikt nic nie wyburza, nie tnie profili do ścian z regipsu, nie zbija, nie kładzie kafli czy nie maluje sufitów farbą, od której szczypią oczy, ale ten stan ma również swoje dobre strony, między innymi szeroko rozumiany „powrót na rejon". Mój powrót. Ha!

Ale od początku. Otóż gdy tylko zdałam sobie sprawę, że dom, w którym skuwa się podłogi, nie nadaje się do mieszkania, przewiozłam część rzeczy do swego domu rodzinnego, zwanego Domem Matki, spakowałam walizki i poczęłam podróżować po naszym pięknym kraju. Niestety, po serii wojaży wakacyjnych poczułam się niewymownie staro, przekonując się, ileż prawdy jest w powiedzeniu, że upływające lata najlepiej widzi się w dorastaniu dzieci. No bo jak inaczej, nie licząc chwilowej depresji, zareagować na „cześć, ciociu" dobiegające z wysokości metr osiemdziesiąt? Ale to nie koniec. Wieczorem, w gronie od lat spędzającym wakacje w Bychowskim Dworze, usiedliśmy sobie na tarasie i perorując na temat wakacyjnej „osi zła" (komputer w sali kominkowej) i „elektronicznych subtelności" wokół niej zgromadzonych (przenośne konsole do gier), które zabierają naszym dzieciom okazję „spenetrowania okolicznych kniei", podjęliśmy wspólnie decyzję o elektrozakazie. Ku naszemu zadowoleniu początkowo zbuntowane pociechy rozpierzchły się w zmroku, bawiąc się w chowanego. Jak się później okazało, bez pociech starszych, które schowały się bez zabawy. W końcu ich nagłe zniknięcie zaczęło nas niepokoić.

— Drzwi od sali bilardowej są zamknięte — doniósł uprzejmie Syn, na co Ola wiedziona matczynym przeczuciem poszła na zwiady. Drzwi były rzeczywiście zamknięte. Zapukała.

— Kto tam — zabrzmiał tubalny głos zza ściany.

— To ja, Ola — powiedziała Ola, gdyż była dobrze wychowana, a poza tym tajemniczy głos napawał ją lękiem.

Drzwi się otworzyły. Na stole bilardowym leżeli starsi chłopcy w towarzystwie Dziewcząt Kiełkujących przecudnej urody. Światło było zgaszone, tylko jasny krąg latarki odbijał się na suficie. Towarzystwo chichotało.

— Aha, tu jesteście — wydusiła z siebie Ola i wykonała w tył zwrot. — No bo co miałam powiedzieć? — pytała nas kilka minut później, kiedy pokładaliśmy się ze śmiechu. Tylko Tomek — Ojciec Kiełkujących, nie wyglądał na rozbawionego i szybko poszedł do sali bilardowej. Wrócił po chwili i zadowolony oświadczył, że wysłał dziewczynki do pokoju. Za chwilę na tarasie pojawiła się jedna z jego zjawiskowych córek.

— Tatusiu, ale ja tam muszę zejść jeszcze na chwilę — powiedziała błagalnie w wypiekami na twarzy. Marcin omal nie spadł z krzesła, Narzeczony dusił się ze śmiechu. Tomek był nieugięty. Kiedy się uspokoiliśmy, dotarło do nas, że od tej pory będzie tylko gorzej. Zaczęliśmy ustalać taktykę na przyszły rok. A ja uświadomiłam sobie, że już nigdy nie będę chichotać z nikim na stole bilardowym, siejąc zgorszenie dorosłych, a co najwyżej stanę po drugiej stronie barykady, jako ta zgorszona. To nie była przyjemna myśl. W dodatku nieuchronnie zbliżała się impreza wieńcząca trzydzieści lat życia mojej przyjaciółki z ławki. Wtedy to właśnie podjęłam decyzję o wspomnianym „powrocie na rejon".

Zakotwiczyliśmy więc w Milanówku, Narzeczony zaszył się w pokoju-szafie, by pracować nad zaległymi projektami, Syn pojechał na kolejny obóz, a ja ruszyłam na zapomniane tereny. Tyle razy zostawałam u Mojej Matki na kilka dni, ale nigdy nie zdobyłam się na to, by pozwolić się sobie poczuć, jakbym znowu miała osiemnaście lat, była nieśmiertelna i mogła być we wszystkich miejscach naraz. Zapomniałam, jak stąd wszędzie jest blisko! Rano kawa z różą w Milimoi, potem spacer, zakupy na targu, powrót do Podkowy — zupa imbirowa i niebieska lemoniada, wieczorem jakiś grill. Po tygodniu maratonu Milena zapytała, czy nie mogę sprzedać domu, gdy już go wyremontuję, i wrócić na rejon. Zastanawiam się. Wieczorem przyjechała Ola i we trzy pojechałyśmy na łąkę (między drogą a fabryczką), by w pozycji horyzontalnej obserwować spadające gwiazdy. Niestety, wszystkie życzenia wylatywały nam z głowy, bo za każdym razem, kiedy niebo przeszywał błysk, łapałyśmy się za ręce i piszczałyśmy radośnie. Godzinę później siedziałyśmy na patio u Kasi i w blasku świec powierzałyśmy sobie najskrytsze sekrety. Miałam najwyżej siedemnaście lat, tylko że nikt nie martwił się o mnie w domu. Cudowne uczucie. Następnego dnia, gdzieś w okolicach południa, rozłożona na kanapie, jadłam keczup za pomocą zimnej parówki i zastanawiałam się, czy kolejny wieczór przebije ten wczorajszy i przedwczorajszy, i ten przed… Karolina przyjechała po mnie o ósmej wieczorem, po drodze odwiozłyśmy matkę na garden party i pełne nadziei, bezdzietne udałyśmy się na grilla. Tym razem jednak było nudnawo. Goście zaczęli rozchodzić się przed dziesiątą, mając pewnie inne plany. Byłyśmy zawiedzione. W drodze powrotnej postanowiłyśmy zabrać Matkę do domu, ta jednak nalegała, żebyśmy weszły choć na chwilę. Nad podświetlonym basenem kilkanaście osób poruszało się rytmiczne do hitu techno sprzed paru lat — Syn uwielbiał go, kiedy był w starszakach.

— *Don't you want pump it up* — darł się głośnik, a tłumek pokazywał, że chce.

— Hmm, to tak się teraz bawi młodzież — powiedziała Milena.

Szybko jednak okazało się, że młodzieżą jesteśmy my. We cztery dawałyśmy średnią wieku trzydzieści sześć, pozostali goście grubo po pięćdziesiątce. W ogrodzie w stylu japońskim, poza geometrycznymi lampami i równiutko przystrzyżonym trawnikiem rosły też grzyby halucynogenne, o czym doniosła mi podniecona Kasia. Nie mogłam się jednak skupić na jej odkryciu, gdyż właśnie w tym momencie moja kompletnie ubrana i trzeźwa Matka postanowiła wskoczyć do basenu. Milena robiła zdjęcia, ja byłam przerażona, towarzystwo 50+ poszło w ślady Matki. Szybciutko dorosłam i poczęłam namawiać Matkę do wyjścia. Dziewczęta nie podzielały mojej troski i również wskoczyły do basenu. W końcu udało mi się spakować wszystkie do samochodu i ruszyłyśmy do domu. Rano poczułam, że jestem potwornie zmęczona i tęsknię za spokojnymi wieczorami przed telewizorem. Musiałam przyznać, że na pewne rzeczy jestem po prostu za stara lub... za młoda. Nadzieję na to drugie dawał mi widok Mojej Matki, która w świetnej formie, od ósmej rano, krzątała się po ogrodzie.

— Wiesz, że to oczko wodne nie ma wcale dwóch metrów? — zapytała mnie na dzień dobry, wskazując na swój miniakwen.

— Skąd wiesz? — zapytałam.

— Bo weszłam wczoraj, żeby sprawdzić...

Za młoda, zdecydowanie jestem na to za młoda… — pomyślałam i podjęłam decyzję o stałym powrocie na rejon, ale dopiero za jakieś cztery lata. A teraz wracam do domu.

Powrót do miasta

Kasia

Kiedy Moja Córka z rodziną opuściła mój kawałek domu, doszłam do wniosku, że teraz odpocznę. Jest pięknie, ściany się malują, lato podchodzi pod płot jeszcze nieśmiało, życie jest doprawdy fascynujące.

— Dlaczego nie przeniesiesz się do Warszawy? — zapytała Moja Córka piątego dnia po swojej wyprowadzce, kiedy pożaliłam się jej zupełnie niechcący, że życie z sześcioma mężczyznami pracującymi obok mojej głowy może być bardziej uciążliwe niż z jednym, nawet nie pracującym.

— No wiesz! — oburzyłam się. — Co ja bym robiła w Warszawie?

— Nie musiałabyś żyć, mieszkać, pracować wśród zrywanych podłóg, malowanych ścian i tak dalej. Miałabyś święty spokój.

Za świętym spokojem tęsknię bardzo. Najbardziej. Sześciu panów bardzo się ucieszyło, kiedy zawiadomiłam ich, że przenoszę meble i ułatwiam im króciutki dogłębny remont podłóg, ścian, tarasu i tak dalej.

Spakowałam własnoręcznie wszystko i zrobiłam generalne porządki w papierach, a nawet wyrzuciłam do śmieci zeszyty ze studiów drugiej żony mojego byłego męża, które skończyła dwadzieścia lat temu (a męża byłego nie widziałam od lat szesnastu z górą), nie mówiąc o innych drobnych pamiątkach, takich jak liściki miłosne w rodzaju „śpij słodko, księżniczko", które to liściki mógł przecież wziąć ze sobą i mieć jak znalazł dla następnej kobiety swojego życia, oszczędzając w ten sposób czas, inwencję twórczą i lasy nasze wspólne.

Kiedy przyjechałam do Warszawy, poczułam się, jakbym znowu miała dwadzieścia lat i meblowała swoje pierwsze mieszkanko. Pod oknem stanęły te same fotele, które stały również pod oknem w zupełnie innym mieszkanku w Warszawie trzydzieści lat temu. Wypakowałam filiżaneczki (prezent ślubny), zastawę białą Wałbrzych (o której zapomniałam, że ją mam), zdjęcia, komputer i tak dalej. Będę tu miała święty spokój, o nic się nie muszę martwić, powtórzyłam za swoją Córką, która się niezwykle z mojej decyzji ucieszyła.

Wieczór pierwszy zapowiadał się wspaniale. Nie miałam Internetu, telewizji, zapaliłam wieczorem świece, Anna Maria Jopek szeptała cudowne rzeczy przy muzyce. Byłam tak zmęczona, że widok łóżka (pięknego prezentu od córki) trzymał mnie przy życiu przez cały dzień. Kiedy uprzątnęłam osiemdziesiąt kartonów, a meble zostały ustawione (ta sama co trzydzieści lat temu dwustukilowa biblioteczka), uznałam, że mogę się położyć. Nic nie muszę, nie muszę rozmawiać, spotykać się, mieć obowiązków, nie muszę pisać, otwierać poczty elektronicznej, nie muszę nic. Nikt mi nie szura, nie wierci, nie rozwala, nie truje mnie farbą — zapaliłam lampkę przy łóżku i otworzyłam worek z pościelą. W worku z pościelą były odłożone na lato ubrania. Otworzyłam worek z ubraniami, w którym było sześć masek do nurkowania (nigdy przecież tyle nie miałam!) oraz zimowe buty. Rozpakowałam więc worek następny i wyjęłam zasłony i firanki. Rozcięłam worek kolejny z obrusami, w którym były obrusy! Pościeli nie było! Ani nawet kocyka! I w tym momencie zadzwonił telefon. Koleżanka serdeczna zaniepokoiła się, czy wszystko w porządku. Nic nie było w porządku. Można żyć bez telewizji, ale bez pościeli?

Zjawili się u mnie piętnaście minut później. Ona z mężem. Mąż tachał dwa duże pakunki — cudną kołderkę w czarne tulipany, dwie poduszki, jasieczek słodki (bez jaśka spanie się nie liczy, powiadomiła mnie Ania), kotka pluszowego (żeby ci nie było smutno samej), kwiaty różowe, butelkę wódki oraz butelkę wina. Byłam strasznie, ale to strasznie zmęczona, uznałam więc, że jeden malutki kieliszeczek w zupełnie nowym miejscu, ale jednak na starych śmieciach — byłby na miejscu. Przecież trzydzieści lat temu też ktoś do mnie wpadł na nowe mieszkanie! O drugiej w nocy rozstawaliśmy się w świetnej formie.

Rano zobaczyłam duży napis na lustrze: „Kochamy cię!". Uśmiechnęłam się do siebie — teraz dopiero sobie odpocznę. Jestem sama, samiuteńka, mogę spokojnie dalej porządkować swoje życie. Myślałam tak krótko, bo za chwilę zadzwonił telefon od przyjaciela.

— Przeprowadziłaś się? Miałem ci pomóc, to będę za chwilę, daj adres.

Zgarnęłam maski do nurkowania, obrusy i rzeczy letnie do tapczanu, żeby zrobić przejście. Będę miała święty spokój potem, pomyślałam. Śniadanie zrobiliśmy wspólnie, on smażył jajecznicę, ja tłukłam nożem sól morską, bo tylko taką miałam. Potem biblioteczka została przesunięta do drugiego pokoju, bo jednak rano źle wyglądała w tym miejscu, po czym przyjaciel powiedział:

— Nie siedź tak sama, mam spotkanie w mieście, chodź ze mną, będzie fajnie. Potem to wszystko zrobisz, teraz będziesz miała dużo czasu.

Zamknęłam mieszkanie i pojechałam. Wróciłam do domu wieczorem. Było fajnie. Siadłam w pokoju i pomyślałam, że trzeba by te wszystkie rzeczy z biblioteczki wyjęte na czas przenoszenia włożyć z powrotem, ale przecież się nie pali. Wtedy zadzwonił domofon.

— Kochana, byłam ciekawa, jak się urządziłaś. — W progu stała Przyjaciółka ze Szkolnej

Ławki, która teraz mieszka niedaleko. W ręku trzymała bułeczki, sery, orzeszki i czerwone wino.

— Na pewno nie miałaś czasu zrobić zakupów — powiedziała, a mnie zmiękło serce. Położyłam się przed trzecią.

Przed południem odebrałam szesnaście telefonów — czy wszystko w porządku i jak sobie radzę. Trzeciego dnia miałam cztery spotkania. Wróciłam do domu o siódmej. Siódma dziesięć zadzwonił domofon.

— Podobno nie masz Internetu i telewizji — powiedział Znajomy — to ja ci założę.

Świat jest fantastyczny! Położyłam się o pierwszej. Następnego dnia wstałam skoro świt. Postanowiłam wyjąć maski do nurkowania z tapczanu i przystąpić do konsumowania świętego spokoju. Spotkałam się tylko pilnie z sześcioma osobami, które wpadły po drodze do... żeby sprawdzić, czy wszystko OK.

Od tygodnia kładę się spać średnio o drugiej w nocy. Nie mam czasu, żeby cokolwiek napisać, nie mówiąc o wyjęciu masek do nurkowania z tapczanu. Śpię w pościeli od przyjaciół, nie wiem, co się dzieje na świecie, bo nie zdążyłam włączyć telewizora, co ma swoje dobre strony.

Oczywiście, nie opuszcza mnie nadzieja na święty spokój, ale czy wszystko muszę mieć od razu? Tyle lat na to czekam, to jeszcze trochę mogę poczekać. Przecież jestem jeszcze młoda!

Okazuje się, że kuchnia jest zupełnie zbędna. Wystarczy ekspres do kawy i piekarnik do podgrzewania pizzy.

Veni Vidi Vici – różowa lodówka i fartuch perfekcyjnej pani domu.

Sierpień

Kilkumetrowy baner na płocie przy wjeździe do Milanówka. Tęsknię!

Zakaz gry w piłkę – powinien wisieć w moim salonie. K.

Remont

Dorota

Jeżeli miałabym prognozować pogodę na zimę, biorąc pod uwagę, ile ostatnio pochłaniam i jak bardzo przekłada się to na obwód moich bioder, to będzie minus pięćdziesiąt. W słońcu. Problem w tym, że ostatnio bardziej martwię się pogodą niż jakimkolwiek obwodem. No, chyba że chodzi o wymiary szafek, luster i listew przypodłogowych. Zdecydowanie moja waga nie ma specjalnie wpływu na jakiekolwiek roboty, natomiast przy zagrożeniu zimą stulecia mój garaż nie zostanie otynkowany w tym roku. Proste.

Po ewidentnym przesileniu, jakie nastąpiło tuż przed naszym powrotem do domu, kiedy to rozważałam pozwanie kilku sklepów internetowych, zwolnienie wszystkich ekip, a nawet ucieczkę z domu, dopadł mnie spokój. Dopadł to bardzo dobre słowo. Miałam dwa wyjścia: albo zwariować, albo odpuścić. Jako że pierwsza możliwość raczej nie wchodziła w grę, ze względu na liczne obowiązki, dzięki nieocenionej pomocy mojej nauczycielki jogi kundalini podjęłam wyzwanie. To niesamowite, jak wiele złości można wytrzepać ze swoich ramion i jak ogromny wpływ na nasze życie ma elastyczność kręgosłupa!

Stoję więc sobie spokojnie w kuchni i przegryzam pyszne kabanoski, a moi panowie robotnicy przyklejają listwy przypodłogowe. Właściwie przyzwyczaiłam się już do ich ciągłej obecności i traktuję jak członków rodziny (robotników, nie kabanoski, rzecz jasna). Doszłam nawet do wniosku, że tak jak remonty mają swój początek w jakimś pierwszym uderzeniu młota, czy chociażby spakowaniu rzeczy, to koniec jest właściwie bliżej nieokreślony, a najprawdopodobniej w ogóle nie istnieje. Ja na przykład jestem troszkę rozpakowana, a jednak większość rzeczy leży sobie spokojnie na strychu. Nie mam pojęcia, po co je mam, skoro tak przyjemnie mi się żyje bez nich. No, może wyłączając komplet garnków, choć — jak się okazało — można ugotować trzydniowy obiad w jednym.

Dzwoni Stolarz, że dziś nie przyjedzie, bo ktoś nie dowiózł czegoś, co miało być na wczoraj, więc on nie zdąży i bez sensu, ale wybaczam mu, bo i tak jest najbardziej terminowym stolarzem, jakiego znam, w dodatku zdolnym jak cholera. Z lekkim obrzydzeniem (po tylu tygodniach remontu to zrozumiałe) sięgam po stos magazynów wnętrzarskich i wertuję pierwszy z brzegu. Ten z figurą geometryczną w tytule. I nagle strzela we mnie piorun. Otóż w rubryce „Tańsze, droższe" pani Redaktor z dumą prezentuje swoje odkrycia. Nie, nie mam nic do wynajdywania tańszych odpowiedników, właściwie nic innego nie robię od początku remontu. Ale to? Obok słynnego projektu Philippe'a Starcka — fotela Mademoiselle, który spędza mi sen z powiek od kilku lat, ale tłumaczę sobie, że dwa tysiące złotych za plastikowe krzesło to jednak za dużo, widzę krzesło właściwie identyczne. I też nazywa się Mademoiselle. Za 450 złotych! I jest nawet adres internetowy sklepu, w którym można tę podróbę zakupić. Tyle że to po prostu kradzież, złodziejstwo, przestępstwo. Zastanawiam się, jak to możliwe, że pismo o tematyce wnętrzarskiej, o największym nakładzie w tym kraju, może bezkarnie promować takie rzeczy. Czy to oznacza, że do następnego numeru miesięcznika „Film" dołączona zostanie piracka kopia filmu, który właśnie wchodzi do kin, a „Pani" zasugeruje, że perfumy Kunzo są tak samo dobre jak Kenzo i można je mieć już za 17,50? No, cholera jasna!

Wieczorem idę na imieniny do znajomej i w większym gronie dzielę się swoimi przemyśleniami. Grono milczy zniesmaczone, aż w końcu odzywa się siostra solenizantki:

— A pamiętasz adres tego sklepu?

Kiedy kilka godzin później wracam do domu, wszystko zaczyna mi się układać. Moje przejścia z panem od podłóg i ze wszystkimi sklepami internetowymi.

No bo jak ma być uczciwie, kiedy od dzieciństwa uczymy się, jak oszukać i przechytrzyć? Wąsaty ojciec patrzy z dumą na swoją pociechę, która podstępnie zabiera zabawki dziecku sąsiada i wrzeszczy, że to jej.

— Ten to sobie w życiu poradzi — mruczy zadowolony i wraca do czytania gazety.

Syn mojej koleżanki (gimnazjum) już od dwóch lat regularnie dostaje od babci zeszyty z serii „Ściąga szkolna", do których dołączona jest wersja kieszonkowa, w sam raz na klasówkę. Większość wypalarek płyt CD służy wyłącznie przegrywaniu filmów, muzyki i gier. Mój własny Syn był niezmiernie zdziwiony, kiedy wytłumaczyłam mu, co dokładnie oznacza słowo *cheat*, gdy namawiał mnie, bym mu poszukała „czitów do gier".

Nie tylko chcemy wszystkich przechytrzyć, ale żyjemy w przeświadczeniu, że wszyscy chcą przechytrzyć nas, więc zatracamy większość ludzkich odruchów.

Więcej, nawet „przepraszam" przestało być słowem wyrażającym empatię, a wręcz jako wyraz skruchy i furtka do uznania czyichś roszczeń, wyszło ze słownika.

Podczas ostatnich dwóch miesięcy nie usłyszałam go ani razu. Ani wtedy, kiedy zamiast różowej lodówki i telewizora przyjechała wyłącznie lodówka, ale za to w kolorze pomarańczowym, ani wtedy, kiedy zaginęło zamówienie na kuchenkę mikrofalową, a pan z działu AGD przez tydzień nie odbierał telefonu (dzięki Bogu za miłych panów z działu RTV), ani nawet wtedy, kiedy zamiast okapu nadwyspowego dostarczono mi naścienny, w dodatku po przejściach w transporcie (dzięki Bogu za Wspaniałego Stolarza z inwencją). Nie wspomnę już o panu od podłóg żywicznych — najpierw opóźnił mi remont o dwa tygodnie, potem zwierzał się z problemów z klientami, którzy nie płacą, a po mojej zapłacie, kiedy okazało się, że lakier sukcesywnie się rozpuszcza, przestał odbierać telefony. Dzwonię czasem do niego z jakiegoś innego numeru, wtedy obiecuje, że się pojawi, i się nie pojawia. Właściwie stało się to taką naszą tradycją. Moja podłoga przypomina już abstrakcyjny obraz, z plamą z wina w kształcie Piłsudskiego łamanego przez Marię Curie oraz wieloma innymi, nie mniej artystycznymi. Może powinnam zacząć pobierać opłaty za wstęp?

Na szczęście jest joga i dziś zrobimy sobie kolejną kriję na wybaczanie. A zanim się skończy remont, będę miała mięśnie jak Pudzian.

Smutne jest tylko to, że oto ja, największa orędowniczka zakupów przez Internet, szykuję się psychicznie na własnoręczną walkę o prezenty gwiazdkowe. Wiem, że to dopiero za cztery miesiące, ale już się boję. Szturm na sklepy i osobiste obcowanie z prezentami. Z dowozem własnym. Bo wtedy przecież trudniej mnie będzie oszukać!

Toksyczna znajoma

Kasia

Pal licho lodówkę nieróżową czy okap naścienny. Nie miałam pojęcia, że są kolorowe lodówki i że okapy mogą być różne, myślałam, że są takie same, tylko montuje się je raz przy ścianie, a innym razem na środku, jeśli ktoś ma środek w kuchni. Nie miałam pojęcia, że podłoga żywicowana jest najtrwalsza oraz że można ją zepsuć. Mój kolega twierdzi, że taką się daje w fabrykach chemicznych, bo jakby się coś rozlało, to można wyczyścić, a ludzie kulturalni mają drewno na podłodze, którego, jak wiadomo, doczyścić się nie da, wystarczy mieć suczkę, która urodzi dziewięć malutkich, rozkosznych szczeniaczków i chowa sobie na takiej podłodze te słodkie dzieciaczki. Potem podłoga jest do wymiany lub, jak kto woli, pożywicowania. Ale ile radości z takich małych piesków! Szczególnie jeśli rodzą się u naszych przyjaciół, a nie u nas.

Ale ja chciałam o przyjaciołach. Przyjaciołach pozornych — bo taki pan Żywiczny jest ewidentnie do rozpoznania po plamach i się go nie lubi. Ale co zrobić z przyjaciółmi chętnymi do pomocy, życzliwymi, którzy do nas piszą, na Google nas googlują, są ciekawi, co u nas słychać, podsyłają linki do różnych różności, zostawiają wiadomości na sekretarce, piszą esemesy i są w ogóle zawsze do dyspozycji? Służą radą, choć nie poproszeni, wpadają — bo to po drodze, z upominkiem, dadzą książkę, której się szuka, nastawią nagrywarkę i tak dalej, i tak dalej? Wymarzeni? Nie!

Otóż Moja Znajoma — co, jak wiadomo, jest znakomitym szyfrem — ma taką przyjaciółkę. Przyjaciółkę, która wie. Wie wszystko. Wie, że ten mężczyzna nie dla nas, ale ten karnisz jak ulał. Ten zestaw w fatalnym kolorze, ale ten szalik wiąże się zupełnie inaczej I pokazuje jak. Kwiatek z okna przestawia na drugi parapet, bo tu będzie mu lepiej, pochyla się nad nami, gdy zamykamy program, i zdąży jeszcze zobaczyć, że ikony zupełnie nie tak się rozmieszcza, ja ci pomogę zrobić tu porządek!

Byłam nią zachwycona do zeszłego piątku. W zeszły piątek Moja Znajoma zadzwoniła, żebym przyjechała, bo przyjdzie Przyjaciółka, nazwijmy ją P., i w trójkę wymyślimy, gdzie powiesić nadstawkę (kupioną przez Internet), oraz się napijemy, taki damski wieczór się nam przyda. Jasne, że poszłam. P. urocza. Powiedziała, że jeśli chodzi o Kosińskiego (o którego nieopatrznie ją zapytałam poprzednim razem), to się dowiadywała, w empikach nie ma, trudno się dziwić, bo książka wydana w 1993 roku, ale ona znajdzie, żebym się nie martwiła, bo w takim głupim świecie żyjemy, że sami sobie musimy pomóc. Podziękowałam wylewnie i przygotowałam drinki. Znajoma już stała na blacie w kuchni i wieszała firanki.

— Za długie — powiedziała P. — daj, to ci przytnę, tu musi coś wisieć, bo widok masz fatalny. Szybciutko to zrobię, popatrz, i trzeba zmarszczyć, żeby ci w okna nie zaglądali, strasznie blisko ten obrzydliwy dom.

— Ale drzewo ładne — zaprotestowała Znajoma.

— No i co z tego, zaraz i tak spadną liście. Mam wrażenie, że ciągle mamy zimę. Co za klimat beznadziejny. Nienawidzę jesieni — powiedziała P. i zaczęła zgrabnie obcinać.

— Lubię jesień — powiedziałam ja, kłamiąc w żywe oczy — bo niedługo wiosna.

— Ile tej wiosny jest w tym kraju? — P. cięła i popijała. — No ile? Osiem miesięcy do wykreślenia z kalendarza, a przez cztery pozostałe, eeech.

Cztery pozostałe moim zdaniem są niezłe, zresztą jak cała reszta, ale milczałam.

— Nadstawkę taką kupiłaś? No to cię oszukali!— uśmiechnęła się P., kiedy firany zawisły, a my po drugim drinku wniosłyśmy nadstawkę.

— Nie oszukali.

— Zniszczona.

— Bo stara.

— Trzeba dać do renowacji. A ci z renowacji to cię orżną. Orzynają wszystkich, jak popadnie. Takie pieniądze wezmą, że się nie pozbierasz.

— Nie chcę jej odnawiać.

— Musisz. Jak to wygląda.

Nadstawka wyglądała na nadstawkę. Fajną, dębową, kryształowe oryginalne szybki, dwie półeczki w środku.

— Ja ci dam telefon do jednego stolarza albo sama zadzwonię. — P. machała już swoim telefonem. — Ja ci to załatwię.

— Nie chcę — powiedziała Znajoma. — Mnie się taka podoba.

— Nie masz gustu — powiedziała życzliwie P. — Ale to nie szkodzi, tu się przemaluje, a jakbyś zmieniła choćby uchwyty, bo kluczy pewno nie masz, zamki trzeba wymontować, a w to miejsce zrobić takie mosiężne...

— Pomyślę — obiecała Znajoma i wiedziałam, że nie pomyśli.

P. zamachała szklanką.

— Lód z kranówy robisz? Rób z mineralnej, bo jednak można wyczuć smak, a raczej brak smaku. Chociaż wódka też kiepska. Zachód kupił Polmos i wszystko będzie gorsze. Bo już nikomu nie zależy na tym kraju. Możemy jeszcze po jednym wypić, fajnie się tak spotkać i pogadać. Przekonaj ją — wskazała na Znajomą, zwracając się do mnie — żeby nie nosiła tych spodni. Wiesz, że ja to mówię dlatego, że się przyjaźnimy. Takich się już nie nosi. Moda zresztą też jest sterowana odgórnie, żeby ludzi nabierać, zmuszać do kupowania i wyrzucania, zmian i kupowania, wodę z mózgu nam robią. Telewizji to już nie da się oglądać.

— Ja nie oglądam — wtrąciłam.

— Daj spokój, co oni robią... Ale co tam, trzeba się cieszyć tym, co się ma. W tym beznadziejnym świecie to nie jest łatwe, ale próbować trzeba.

P. wyszła po dwóch godzinach, z obietnicą, że weźmie Znajomą na zakupy, do stolarza, do fryzjera, bo kto o nas zadba, jeśli nie my same, i w mieszkaniu Znajomej lekko się przejaśniło.

— Ona ma dobre intencje — powiedziała Znajoma, a ja czułam się tak, jakby przejechał po mnie czołg. — To jest właściwie najgorsze.

Pomyślałam sobie, że najgorsze to wpuścić do domu pozorną przyjaciółkę — konia trojańskiego, z którego wyłażą wrogowie. Obrzydzają nam nie tylko firaneczkę czy nieszczęsne spodnie i drinka, ale świat cały. Następnego dnia zadzwoniłam do P. z serdecznym podziękowaniem, że zechciała mi pomóc w sprawie książki, ale już ją mam. Była trochę rozczarowana i poleciła się na przyszłość. Nie skorzystam, książki nie mam, rzecz jasna, ale pogrzebię sama w Internecie i może gdzieś znajdę tego *Pustelnika z 69 ulicy*. Znajoma ma problem, bo zauważyła objawy depresyjne po każdym spotkaniu z P. Joga tu niczego nie załatwi. I dlatego uważam, że taki pan Żywiczny jest dużo bezpieczniejszy, można się pozłościć, próbować wyegzekwować, może podać do sądu. Ale przyjaciela pozornego? Co z takim życzliwym zrobić? Remont? Jak walczyć o swoje dobra osobiste?

Świat się kończy

Dorota

Świat się kończy — czytam w komentarzach na Onecie.

Nie wiem, co mnie podkusiło, żeby kliknąć na link podany przez Oriona2012, opatrzony krótkim: „i co, nadal nie wierzycie", i potem na kolejny i kolejny. I teraz w ogóle nie mogę spać. Właściwie nie wiem, czy kiedykolwiek jeszcze zasnę.

Słońce wybucha, bieguny się zmieniają, świat islamu powstaje, a jedną nogą wśród nas są już jednooki Antychryst ze znamieniem na czole i dużo ładniejszy Chrystus. Mordercza antymateria jest tylko kwestią czasu, nie mówiąc już o awarii akceleratora, ziemia się trzęsie, szaleją tsunami, a to tylko drobne ostrzeżenia przed właściwym grudniem 2012. Szybko dowiaduję się, że zastępy ludzi już teraz grupują się na forach, budują schrony i zbierają zapasy. Zastanawiam się, co ja właściwie robię w łóżku w obliczu takich tragedii, i ponieważ chwilowo nie mam możliwości żadnego ruchu, który mógłby mnie ocalić, zaczynam przynajmniej szukać działki w górach, gdzie za chwilę przeniosę się z całą rodziną do miłej podziemnej chatki. Niestety, od razu przypomina mi się film, który z przerażeniem i Matką oglądałam jakoś pod koniec lat osiemdziesiątych. Traktował o grupie ludzi dogorywających w schronie po jakiejś katastrofie nuklearnej, jednak na końcu okazywało się, że żadnej katastrofy nie było, a dookoła schronu toczy się normalne życie.

Te i inne myśli nachodzą mnie jeszcze cichutko, zanim koło piątej odpływam w objęcia Morfeusza.

Niestety, rano nie jest lepiej. Co prawda rodzina i przyjaciele nie podzielają mojego przerażenia i niespecjalnie chcą dołączyć do mojej grupy szkolącej się w surwiwalu, ale uznaję, że sprawy wyglądają na tyle poważnie, iż należy przedsięwziąć jakieś środki. Tyle że nadal nie mam pojęcia jakie. Bo czy jeżeli zostały nam tylko niecałe dwa lata, nie należałoby przypadkiem nawrócić się, porządnie wyspowiadać i czynić dobro? A może wprost przeciwnie, powinniśmy nareszcie oddać się radośnie hedonistycznemu stylowi życia, jeść, tyć, podróżować, rzucić pracę i zrobić wszystko, czego do tej pory robić nie wypadało? Nie mam pojęcia. A jeśli okaże się, że źle wybraliśmy? Że na najgorliwszych katolików u bram raju zamiast świętego Piotra czekają Allach i sto dziewic, albo jeszcze gorzej — jeżeli tam po prostu nic nie ma...

Pamiętam, jak w noc po zamachach na World Trade Center leżałam przerażona w wannie, z wielkim ośmiomiesięcznym brzuchem. Wtedy również uznałam, że świat się kończy, i postanowiłam ratować moich przyjaciół. Zadzwoniłam do Kuby i przez łzy poinformowałam go, że jeszcze ma szansę i powinien uciekać, najlepiej w góry Andaluzji. Sam, bo, niestety, ja nie jestem pewna, czy zdołam się wygramolić z wanny, nie mówiąc już o jakiejkolwiek podróży.

Kuba wytłumaczył mi wtedy spokojnie, że jako praktykujący agnostyk ma absolutnie gdzieś to, kiedy i w jakim towarzystwie umrze. I nie ma zamiaru nigdzie uciekać, co i mnie radzi.

— Dotko — zapytał — czy naprawdę uważasz, że różni się czymś to, czy umrzesz na starość z powodu zapalenia płuc, zginiesz w samotnym wypadku czy w zamachu razem z setkami innych ludzi?

Po dłuższym zastanowieniu doszłam do wniosku, że ma rację.

W gruncie rzeczy to dosyć przewrotne, że jedyną pewną rzeczą w naszym życiu jest śmierć i że to jej najbardziej się boimy. Chcemy wiedzieć, kiedy nastąpi, ale zarazem absolutnie nie chcemy tego wiedzieć. Kupujemy horoskopy, chodzimy do wróżek, odwiedzamy jasnowidzów, tylko niech broń Boże nie mówią nic złego. A potem skruszeni powtarzamy: „Niech się dzieje wola Twoja". Tylko ta dobra, dodajemy cichutko. Pragniemy kontroli nad wszystkim, a naszą główną bronią ma być informacja. Jesteśmy uzależnieni od śledzenia wszystkiego na żywo, minuta po minucie. Każdego dnia z drżeniem serca wchodzę na portale informacyjne, żeby przekonać się, czy świat nadal istnieje, zamiast po prostu otworzyć okno i zobaczyć to na własne oczy.

Zupełnie jak Narzeczony w kwestii temperatury powietrza, ale to już zupełnie inna historia.

Świat się zaczyna

Kasia

Różnica pokoleń to czy moja niechęć do portali? Bo ja nie chcę zajmować się końcem świata. Nie chcę wiedzieć, co Majowie uzgodnili parę tysięcy lat temu. Wolę myśleć, że im się skończyły kamienne tabliczki i tak sobie przestali liczyć na tym grudniu, a nie innym.

Informacja w dzisiejszym świecie ma to do siebie, że rozprzestrzenia się jak grypa w dziewiętnastym wieku. Jeśli kiedyś wpadł pies do studni, to wiedziała o tym sąsiadka, sąsiadka sąsiadki, wiedział jej mąż i znajomy męża. Szybko drabinę przynieśli, któryś spuścił się w głąb, psa wyciągnął i być może wieczorem cała stuosobowa wieś wiedziała, że Jędruś od Stachów psa Marciniakowej za kudły ze studni wyciągnął. W niedzielę, przed kościołem, jak już ze trzy wioski się tam udały — były inne sprawy do obgadania niż pies w studni z wyciągającym go Jędrusiem.

Dzisiaj tym się różni od wczoraj, że wystarczy kliknąć gdziekolwiek i informacja o psie w studni jest powielana w nieskończoność. Zanim pies szczeknie, już jest telewizja i filmuje, zanim Jędruś drabinę od Marciniaków przyciągnie, pół kraju przed telewizorem siedzi — wyciągną psa czy nie? I trzymają kciuki prezenterzy i dziennikarze — „trzymam kciuki" to ulubione powiedzenie w sprawie każdej: zdrowia, nowej ustawy, Obamy, Mubaraka, demokracji świeżutko rozkwitającej i Kubicy. Udane trzymanie kciuków odnotowuję, jeśli chodzi o jakąkolwiek ważną sprawę — lot Małysza, Euro 2012, uświadamianie seksualne — dlaczego więc mam być pesymistką, jeśli chodzi o koniec świata? Jak przyjdzie czas, prezenterzy telewizyjni pouczą mnie, by trzymać kciuki, żeby świat jeszcze chwilę potrwał — a jaka będzie oglądalność w tych dniach grudniowych! Wszelkie deficyty i pozostałości po kryzysie zostaną nadrobione z nawiązką — bo dla władzy wszelakiej nie ma nic lepszego niż spowodowanie strachu i... trzymanie kciuków, żeby straszne nie nastąpiło. Najstraszniejsze. Wtedy będzie łatwiej przemycić rzeczy mniej straszne. Któż zauważy podwyżkę cen ropy, skoro świat ma przestać istnieć? Albo brak reformy służby zdrowia? Przestraszonymi ludźmi rządzi się łatwiej, bicz nad głową świszcze straszniej, adrenalinka kopie po ciele, a potem... błogi spokój.

Więc nie, ja w to nie wchodzę. Błogi spokój chcę mieć już dzisiaj.

Ale powiem ci, że A. i M. byli u mnie ostatnio i zastanawiali się, jak wziąć kredyt, skoro nie mają takiej zdolności kredytowej, jaką powinni mieć. A. powiedział, że przecież kredyt pod dom na hipotekę można, a M. powiedziała:

— Muszę, na miłość boską, przecież go spłacać! Skąd ja wiem, czy będę miała pieniądze, szczególnie że koniec świata blisko?

A. poklepał ją po ramieniu:

— I właśnie dlatego możemy wziąć większy kredyt i w ogóle się nie martwić.

M. krzyknęła:

— I co zrobisz, jak koniec świata jednak nie nastąpi?

A. powiedział:

— A, wtedy na pewno się będę bardziej cieszył, niż martwił kredytem.

Więc otwórz szeroko okna, zobacz, że świat się każdego dnia zaczyna. W twoim patrzeniu i zachwycie nad tym, co jest. I tylko nad tym. Wszystkich bardzo gorąco pozdrawiamy.

Dolce far niente

W ogóle nie wiem o co chodziło

Wrzesień

Zazdroszczę utensyliów w plecaku, nie zazdroszczę kolejnych 10 miesięcy ich przymusowego używania...

Z serii „Zagadki Zańczaka" - spożywa pomieszczenie przy wejściu do domu... JESIEŃ!

Non dormire, vivere!

Kasia

Nasz rok — mój i Mojej Córki — trwa od września do września. Od urodzin do urodzin. Jej.

Lubię wrzesień. To pora kiedy pustoszeją Mazury, przyjaciele zabierają mnie wtedy na łódkę, ale jeszcze parę żagli się bieli na wodzie — to ci, którzy nie lubią tłumów, cumują przy małych zatoczkach, wieczorem gotują pyszne żarełko. Można się umówić na określonym cypelku po całym dniu pływania (a niebo takie błękitne we wrześniu, a wicje tak soczyście we wrześniu, a jezioro takie ciepłe we wrześniu, nagrzane lipcem i sierpniem) i usiąść przy maleńkim ognisku, otworzyć butelkę wina i gadać, gadać, gadać...

Znajomi cumują obok, muszą schodzić z łodzi bezpośrednio do wody.

— Nie szkodzi — mówi żona.

W tym miejscu woda jest głęboka, sięga prawie do ud. Ale przecież chcemy być wszyscy razem.

Nie szkodziło w ogóle, dopóki nie trzeba było przenieść różnych rzeczy na ląd. Żony. Krzesełek. Jedzenia. Psa. On wędruje wte i wewte. Kiedy wydaje się, że wyładował całą łódź, pies oświadcza, że chce do domu. Zastanawiamy się, kiedy znajomy pęknie. Lub odbije od brzegu i zacumuje trochę dalej, ale z dostępem do brzegu. On bierze psa na ręce i zanosi z powrotem. Kiedy wraca, żona przypomina, że nie wziął wina. Radujemy się w duszy — teraz? Nie. Kiedy wraca z winem, okazuje się, że nie wziął korkociągu... A kiedy przynosi korkociąg, brodząc w wodzie po uda, pies zaczyna wyć, że chce razem z nimi na ląd.

On stoi chwilę nad brzegiem jeziora, my zataczamy się ze śmiechu.

Wreszcie odwraca się do żony i mówi:

— Nigdzie nie idę, przecież to twój pies!

A gdzieś tam szumi, coś czasem przeleci, zaświergoli w krzakach, łopotnie w gałęziach, poprawiając się do snu, zapluszcze w jeziorze, podskoczy i zniknie...

Lubię moich przyjaciół i przyjaciół moich przyjaciół.

W szybkim zmierzchu snuje się mgła lekka nad wodą, jeziora parują, wieczorna kąpiel rozgrzewa...

Lubię wstawać rano na łodzi, potem szukać prawdziwków, których w tym roku było cztery miliardy.

Lubię w nocy jechać przez las z leśniczym, który w muszlę dmucha, żeby sprawdzić, czy jelenie się odezwą, choć do rykowiska jeszcze miesiąc.

Lubię stać o północy w środku lasu i nasłuchiwać bardzo dalekiego pomruku zwiastującego, że już, już, niedługo będą gotowe do godów.

— Słyszałaś?

Słyszałam.

Lubię zapach suszonych grzybów, a przedtem lubię czyścić grzyby na łodzi, kiedy słońce wrześniowe, jeszcze ciepłe, delikatnie otula pobliskie drzewa, wydobywając z nich czerwienie, żółcie, złoto, gasnącą zieleń, brązy w niezliczonej ilości.

Lubię być cicho na deku i podglądać siwe czaple, które stoją niedaleko, podobne do złamanych i rzuconych na brzeg gałęzi.

Lubię patrzeć przez lornetkę na bielika, który przysiadł na czubku ogołoconego po białym szkwale martwego drzewa, jak siedzi nieporuszony i wcale nie jest biały.

Lubię patrzeć na klucze odlatujących ptaków, które przecież powrócą niedługo. Gęgolą, krzyczą, pogadują na tym niebie, najpierw właściwie je słychać, dopiero potem człowiek podnosi głowę…

I wrzesień to taki miesiąc, który kończy mój rok. Tak jakbym jeszcze myślała kategoriami szkolnymi.

A ten rok był dobry.

Na moim oknie wszystkimi kolorami tęczy żarzy się kryształowy puchar, który dostałam za taniec od swojego nauczyciela. Janek oddał mi swoją najważniejszą nagrodę — za piąte miejsce w światowych mistrzostwach tańca.

Spotkałam nowych pięknych ludzi.

Odważyłam się robić to, na co mam ochotę, bez względu na to, co myślą o mnie inni.

Dbam o siebie. Chcę wiedzieć, czego chcę naprawdę.

Czekam na kolejne urodziny swojej Córki. Potem będę mogła wyjechać.

We wrześniu minionego roku byłam zaproszona do prawdziwego sycylijskiego domu. I widziałam takie plaże na Sycylii, jakie są w Tajlandii.

Mama S., prawdziwa sycylijska *mamma*, przyjęła nas z otwartymi ramionami, karmiła od świtu do późnej nocy, w ciągu trzech dni zwiedziliśmy całe miasteczko, poznaliśmy sześćdziesięciu najbliższych członków rodziny, ciocie, wujków, siostrzeńców, kuzynów i przyjaciół. W tym miasteczku — moim zdaniem — nikt obcy nie mieszkał, choć S. twierdził, że nie wszyscy mieszkańcy to jego rodzina.

Mama S. przedstawiała nas wszystkim. Wąska, stroma uliczka rodzinnego domu S., szerokości może dwóch metrów, od góry do dołu zastawiona krzesełkami, na których przysiadły na czarno ubrane stare kobiety. Każda z nich uśmiecha się na widok mamy S. Karnie się przed nimi zatrzymywałyśmy. Kobiety mówiły szybko po sycylijsku, uśmiechały się i nie zwracały uwagi na moje *Non capisco italiano*.

— *Dormire* — jęknęłam kiedyś zmęczona godzinnym spacerem w upalne południe, kiedy wszyscy inni zrobili sobie sjestę.

— *Non dormire, Kasia, vivere!* — krzyknęła mama S.

Podróżowałam w miejsca, gdzie nie ma turystów.

Siedziałam z O. prawie całą noc przy fontannie di Trevi, a na Schodach Hiszpańskich o trzeciej nad ranem wysłuchałyśmy historii złodzieja, który żyje z turystów i szuka go pół Europy. A my go znalazłyśmy zupełnie przypadkiem!

Leciałam osiem razy samolotem i okazuje się, że to może być przyjemne.

Zaglądam w te nasze notatki i tylu rzeczy w nich nie ma!

Nie ma początków miłości i przeszłości, którą każda z nas inaczej pamięta. Nie ma o strzelaniu fochów, to moim zdaniem głównie domena mężczyzn, a przynajmniej mężczyzn, z którymi miałam do czynienia. Gdzie nasze przyjaciółki i czym się różni przyjaźń matki od przyjaźni córki? Co prawda Moja Córka ma przyjaciółkę starszą ode mnie, a ja mam przyjaciółkę, a w każdym razie jestem na najlepszej drodze do przyjaźni, dużo młodszą od Mojej Córki. Czego to nas uczy? Co nas rani najbardziej, a co najbardziej śmieszy? Co oglądamy, a czego nie lubimy?

Jaka była najbardziej szalona rzecz, którą ja zrobiłam w jej wieku, i jaka była najbardziej szalona rzecz, którą ona zrobiła? Nie wiem. Wprawdzie jej przyjaciółka jest dzisiaj moją nauczycielką angielskiego, ale niewiele się mogę dowiedzieć.

Zabawnie się toczy życie.

Ja uczę się tańczyć, a ona musi być dojrzałą matką.

Ja mogę wyjechać we wrześniu, a ona zaczyna szkołę. To znaczy jej Syn, ale na jedno wychodzi.

Nienawidziłam wywiadówek jako córka. Nienawidziłam wywiadówek jako matka. Dopiero jako babcia znajduję spokój ducha. Pewne rzeczy — i to najczęściej te niemiłe — mnie już nie dotyczą.

A wszystkie dobre — coraz bardziej.

Kiedy idę na spotkanie, zamiast na wywiadówkę, Moja Córka robi mi makijaż i oczywiście mówi, że jestem „strasznie" ubrana.

— Adam! — woła do swojego Narzeczonego — Zobacz i sam powiedz!

Narzeczony Mojej Córki wychyla się z pokoju.

— Co mam powiedzieć?

— Powiedz Mojej Matce...

— O nie! — przerywa jej Adam. — Cześć, Kasiu.

— Dlaczego nie jesteś po mojej stronie? — woła za nim Moja Córka, kiedy znika z powrotem w swojej pracowni.

— No właśnie jestem! — odpowiada.

Wtedy ona zaciąga mnie do swojej szafy i każe przymierzać po kolei — jasne spodnie z czarną bluzką i do tego marynarkę w kolorze nieokreślonym lub spódnicę i buty czarne, które cisną, białą bluzkę i czarne spodnie (bo to cię wyszczupla), każe mi prostować włosy (bo tak lepiej wyglądasz), wszystko to pokornie wykonuję, żeby godzinę później wejść z powrotem w swoje dżinsy i pozwolić się umalować.

Na wszelki wypadek pytam Wnuczka, jak wyglądam, a on na moment podnosi oczy znad iPoda, komputera, playstation bądź innej ważnej rzeczy i mówi:

— No, może być. A jak on się nazywa?

— Kto? — pytamy jednocześnie.

— Ten, z którym się umówiłaś.

Więc milkniemy, przerażone przenikliwością niewinnego dziecka.

— Może to jest ta, a nie ten? — wreszcie odważam się zapytać.

— Akurat — mówi Syn Mojej Córki.

Mój Wnuczek, który bał się, że się połamię w telewizji w tańcu, teraz już wie, że jestem jeszcze młoda.

Wstaję rano, nawet jeśli siedzę do późna i piszę, pomna na słowa *mammy*:

Non dormire! Vivere!

I staram się nie zapominać, że dzisiaj jest początek reszty mojego życia.

Manufaktura wspomnień

Dorota

Wrzesień. W sklepie papierniczym zawsze ogarnia mnie przyjemne podniecenie. Mogę godzinami szperać między półkami, próbując znaleźć idealnie miękko piszący długopis i zeszyt, w którym wygodnie notuje się też po lewej stronie. Wybieram flamastry do zaznaczania ważnych zdań, upajam się kolorami pasteli sprzedawanych na sztuki, badam palcem faktury kartek i bibuły. Grzebię w pudełkach z temperówkami i szukam gumki, która pachnie tak, jak tamta przywieziona z Grecji w 1988 roku. Po dłuższej chwili przypominam sobie, po co przyszłam. Kupuję więc plecak z Anakinem Skywalkerem, taki „fajny" piórnik, który jest „czaderski jak nie wiem co" (nie wiem też, czy cokolwiek się do niego zmieści), oraz komplet zeszytów. Syn marudzi, przeglądając okładki — generalnie wszystkie są „babskie" i „obciachowe".

– Czy ty wiesz co powiedzą chłopaki, jak wyjmę taki zeszyt? — Obśmieją mnie — odpowiada, zanim zdążę poinformować go, że niewiele mnie to obchodzi. Jako że obśmianie jest absolutnie najgorszym, co może spotkać dziewięciolatka, albo po prostu mężczyznę niezależnie od wieku, w końcu wybieramy czarne zeszyty z trupią czachą, robiąc wyjątek dla zeszytu do religii, na którym pucułowate Dzieciątko Jezus gestem błogosławi cały świat. Niezły zestaw.

— Mamooo, chodźmy już! — pogania mnie Syn, kiedy przeglądam jeszcze naklejki na książki. Wyraźnie nie podziela mojego zachwytu nad artykułami papierniczymi i zupełnie nie rozumie, jak mogę spędzać tyle czasu w tym sklepie. Tu należy dodać, że nienawidzę zakupów — ubrania kupuję dwa razy w roku i zajmuje mi to piętnaście minut, ostatni raz w hipermarkecie byłam sześć lat temu — od tamtej pory wszystko załatwiam przez Internet, a kosmetyki kupuje mi Narzeczony, według precyzyjnie sporządzonej listy. Syn więc, przyzwyczajony do generalnie antyzakupowej matki, co roku przeżywa ten sam szok.

I nie umiem mu wytłumaczyć, że to dlatego że „za moich czasów"... Że pamiętam bladoniebieskie zeszyty, których okładki ścierały się, zanim doszłam do końca, piórnik chiński z przegródkami zapinany na magnes (swoją drogą w podobnym mieszkał Plastuś), pióro z pompką do nabierania tuszu, kredki z Misiem Uszatkiem na żółtym tle (łamały się po każdym zatemperowaniu), tornister z odblaskami, który już po miesiącu pachniał jabłkiem na drugie śniadanie. Wszyscy mieliśmy to samo. Nikomu nie śniło się nawet, że kiedyś będzie można spacerować między półkami pełnymi kolorowych papierów — zwykłych, metalicznych, samoprzylepnych, odblaskowych — ba! wielkim szczęściem było, jeżeli jakikolwiek kolorowy papier był dostępny przed początkiem roku. To samo dotyczyło podręczników, kapci i białej bluzki. Pamiętam też, jaką nieopisaną radość czułam, gdy pewnego września w moim tornistrze niosłam trofea z podróży zagranicznej — opakowanie kredek i zestaw pachnących gumek. Dzięki nim miałam zapewnioną specjalną atencję najfajniejszych dziewczyn w klasie przez co najmniej miesiąc.

Oczywiście, mogłabym spróbować opowiedzieć Synowi o tym wszystkim, ale obawiam się, że więcej sensu znajdzie w słowach „dawno temu w odległej galaktyce", niż w „dwadzieścia parę lat temu w mojej podstawówce na Woli". Dużo bliżej mi do dzieciństwa Mojej Matki niż do czasów, w jakich przyszło się uczyć mojemu Synowi.

Wychodzimy ze sklepu na zalaną słońcem ulicę. W powietrzu czuć wrzesień. Wstępujemy po drodze na lody. Syn opowiada mi cztery żarty z „brzydkim" słowem zasłyszane na obozie. Zabraniam powtarzać je w szkole. Widzę zawód na jego twarzy.

— Bez sensu ci cokolwiek mówić — obraża się. — Ja całe lato czekałem, żeby to opowiedzieć chłopakom... — mówi z wyrzutem.

Pewne rzeczy się jednak nie zmieniają niezależnie od czasów.

— I co im jeszcze opowiesz? — pytam.

— No, nie wiem... Jak łowiłem te pstrągi w restauracji i jeździłem konno, i o pływaniu na optymistce... Tylko nie mogę powiedzieć, że spotkałem Martynę, bo będą się ze mnie śmiali.

— Ale przecież dobrze się bawiłeś z Martyną — mówię.

— No tak, ale oni nie rozumieją, że to jest tylko moja przyjaciółka. Poza tym i tak się wszystkiego dowiedzą z tego durnego pamiętnika, który kazałaś pani nam zadać na wakacje! — kolejny wyrzut.

— Przypominam ci, że lubisz czytać swój pamiętnik z zeszłego roku... — próbuję zmyć z siebie oskarżenie „zbyt aktywnej szkolnie" matki.

— Ale ten jest z tego roku — odpowiada Syn, a do mnie dociera, że bez sensu mu tłumaczyć zawiłość ciągłości czasowej. I wiem, że kiedyś będzie mi za te „durne" pamiętniki wdzięczny; dzięki nim to wszystko nie umknie mu jak nie zapisany *level* w kolejnej grze. Ja na przykład do tej pory grzeję się w promieniach słońca z dzieciństwa. Tego z Kikołów, gdzie wyjeżdżaliśmy rok w rok z całą rodziną (dziewięć osób w maluchu) na okazyjnie zakupioną działkę. Była ogroooomna — przejście od bramy do latryny zajmowało mi kilkanaście minut. Na środku stał prowizoryczny dom, przerobiony przez wujka Lonka z barakowozu. Każdy miał swoją część ziemi, na której uprawiał, co mu się żywnie podobało. Prababcia miała słoneczniki, porzeczki i agrest. Razem z kuzynką wyznaczałyśmy sobie w nich komnaty i robiłyśmy korytarze. Wieśka miała swoje grządki z niezliczoną ilością kwiecia i z poziomkami, a babcia Lidka imponujące skalniaki. Wujek wykopał nam piaskownicę na środku trawnika, tam uwielbiałyśmy nalewać wodę i produkować lody i ciasta. Często na całe dnie znikałam we wsi, bawiąc się z tamtejszymi dziećmi, zbierając truskawki i kopiąc w wąwozie, do którego nie wolno nam było chodzić, albo grając w palanta. Po wodę chodziło się do źródełka, które było najbardziej magicznym miejscem na świecie. Słońce prześwitywało przez konary drzew, szło się drogą coraz niżej i niżej. Wujek Adam znajdował tam największe robaki i brał nas potem na ryby.

Po kilkunastu latach działka została sprzedana, bo wszyscy przeprowadziliśmy się do domów z ogrodami i nie było już komu jeździć. Ostatnio moja kuzynka wpadła tam po drodze. Zadzwoniła do mnie i kazała mi przysiąc, że nigdy nie popełnię tego błędu.

— Wiesz, ile ta działka ma metrów? — zapytała. — Osiemset!

Z wrażenia usiadłam.

— A źródełko to po prostu błotnista kałuża w wąwozie. Aha, wąwóz to właściwie dużo powiedziane. To jest taki większy rów — opowiadała wzburzona.

Przysięgłam więc, że nigdy nie skuszę się na weryfikację swojego dzieciństwa.

Wracamy z Synem w milczeniu i każde z nas grzeje się we własnych wakacyjnych wspomnieniach. On zbiera siły na kolejny rok szkolny, ja na wszystkie zebrania i korespondencje z nauczycielami (Antek się wygłupia, nie odrobił lekcji, popchnął, powiedział...), które czekają mnie przez kolejne dziesięć miesięcy. Też nienawidzę zebrań i zupełnie nie wiem, dlaczego nie lubiłam ich jako dziecko. Wtedy nie musiałam przez trzy godziny siedzieć w ławce z kolanami pod brodą, brać udziału w przeróżnych dyskusjach, odpierać ataków ani obiecywać czegoś, na co mam coraz mniejszy wpływ (tak, porozmawiam z Synem).

W tym czasie, kiedy Moja Matka przeżywała te katusze, o których nie miałam pojęcia, ja grzeczniutko sprzątałam dom lub coś gotowałam, żeby jej było miło, jak wróci. I żeby mnie przypadkiem nie zabiła. Mogłaś mi powiedzieć, że kiedyś będzie jeszcze gorzej…

Kiedy tak maszerujemy z Synem ramię w ramię, dochodzę do wniosku, że poniekąd jestem szefową wielkiej fabryki. Każdego dnia z taśm schodzą jego wspomnienia — wielka produkcja dzieciństwa. Z przykrością muszę przyznać, że kontrola jakości czasem szwankuje, zespół kreatywny lubi się lenić, a i z wykonaniem bywa różnie. Ale ogólnie nie jest najgorzej, zważywszy na to, że pracujemy dwadzieścia cztery godziny na dobę, nieprzerwanie od prawie dziesięciu lat. Oczywiście, już od jakiegoś czasu on sam zarządza niektórymi sektorami, a moment, w którym całkowicie przejmie kierownictwo zbliża się wielkimi krokami. Mimo iż czasem jestem zmęczona, to trochę mi smutno z tego powodu.

Kiedy ja przejęłam owo kierownictwo? Kiedy był mój ostatni dzień wakacji w Kikołach?

Kiedy ostatni raz zaśpiewałam „ogniska już dogasa blask", stojąc wśród swojej drużyny w mundurze harcerskim? Kiedy ostatni raz wyszłam z piaskownicy i wytrzepałam spodenki, nie zdając sobie sprawy, że wrócę do niej dopiero jakieś piętnaście lat później jako niecierpliwy rodzic, kupujący piaskowe lody od swego dziecka? Tyle rzeczy kończy się niepostrzeżenie…

Ale mimo wszystkich końców, które nastąpiły i następują każdego dnia, to był rzeczywiście dobry rok. Wydarzyło się wiele cudownych rzeczy: Matka nie połamała się na parkiecie, choć z każdym odcinkiem miała coraz więcej ku temu sposobności, są przy nas ludzie, których kochamy i którzy nas kochają, jesteśmy zdrowe, lubimy swoją pracę, mamy wspaniałych przyjaciół. A ja, choć nadal nie wiem, czego chcę, w końcu doskonale wiem, czego nie chcę. To naprawdę bezcenna wiedza. Poza tym poznałam wiele fantastycznych osób! Jest pięknie!

Jest wrzesień i za chwilę będą moje urodziny. Czas postanowień i podsumowań. Właściwie wszystko mogę zamknąć w jednym zdaniu: jest po prostu dobrze. I nie chcę, aby było lepiej, niech będzie tak jak jest. Naprawdę, niczego mi nie brakuje!

Też przeglądam nasze notatki. Ty piszesz, że nie ma w nich nic o miłości. Wszystko jest o miłości. Przeszłość jest również, nawet w tym zdaniu. „Pamiętasz, jak pisałyśmy książkę?" — zapytam cię kiedyś. Ale wcale nie będziemy pamiętać, która postawiła tę ostatnią kropkę, zanim tekst poszedł do druku. A przyjaciele są na co dzień — podczas porannej kawy wypijanej w kuchni, z łopatą przy zakopanym do połowy kole samochodu, wiszą z nami na telefonie o pierwszej w nocy i tańczą na imprezach do rana. Każda z nas ma własny układ słoneczny, w którym po idealnie wymierzonych orbitach krążą najbliżsi. Czasami przeleci jakiś meteor, narodzi się lub zgaśnie jakaś gwiazda, ale wszechświat trwa niezmiennie... To jest chyba najpiękniejsze.

O wszystkich szalonych rzeczach wiesz: o chłopakach ukrytych w szafie, o rzucaniu szkoły, wchodzeniu do domu przez okno, spontanicznych wycieczkach rowerowych do Szwecji. Ale i tak najbardziej szaloną rzeczą, jaką zrobiłam, było wyjście za mąż w wieku dwudziestu lat. Mój rozwód też był szalony. A moją przyjaciółkę, która cię uczy angielskiego, niosłam kiedyś na plecach przez całą Podkowę i wniosłam nawet do pokoju, co nie było łatwe, zważywszy na to, że obudzenie jej taty równało się czemuś gorszemu niż śmierć, a schody w jej stuletnim domu rodzinnym skrzypiały niemiłosiernie. Następnego dnia nic nie pamiętała. Niemniej jednak, kiedy ją pytam, jak się bawiłyście nad morzem, na tym waszym wyjeździe detoksującym, wydaje mi się, że nie mówi mi wszystkiego, i widzę w jej oczach dokładnie to, co musiał widzieć jej ojciec, kiedy po tamtej imprezie pytał, jak się bawiła.

Każda z nas ma swoją prywatną manufakturę wspomnień. Taką makatkę, na której przyczepiamy kolejne zdjęcia, liściki i kartki nie tylko z wakacji.

I dlatego MAKATKA... Choć nie myśl sobie, że nie wiem, iż ostatecznie przekonało cię do tego tytułu zgrabnie ukryte słowo Katka...

Wydanie pierwsze

Opieka redakcyjna
Anita Kasperek

Redakcja
Henryka Salawa

Korekta
Weronika Kosińska, Ewa Kochanowicz, Małgorzata Wójcik

Projekt okładki i stron tytułowych
Marek Pawłowski

Układ typograficzny
Filip Kuźniarz

Zdjęcia wykorzystane w książce
na okładce: strona pierwsza — fot. Dorota Szelągowska,
strona czwarta — fot. Celestyna Król
w tekście: fot. Celestyna Król (s. 4, 27, 167 góra),
fot. Mariola Modzelewska (s. 167 dół, 351 góra po lewej),
fot. Dorota Szelągowska (pozostałe)

Redakcja techniczna
Bożena Korbut

Printed in Poland
Wydawnictwo Literackie Sp. z o.o., 2011
ul. Długa 1, 31-147 Kraków
bezpłatna linia telefoniczna: 800 42 10 40
księgarnia internetowa: www.wydawnictwoliterackie.pl
e-mail: ksiegarnia@wydawnictwoliterackie.pl
fax: (+48-12) 430 00 96
tel.: (+48-12) 619 27 70
Skład i łamanie: Scriptorium „TEXTURA"
Druk i oprawa: Zakład Poligraficzno-Wydawniczy POZKAL

ISBN 978-83-08-04693-7 — oprawa broszurowa
ISBN 978-83-08-04694-4 — oprawa twarda

Katarzyna Grochola
w Wydawnictwie Literackim

Trzepot skrzydeł

Podanie o miłość

Upoważnienie do szczęścia

Przegryźć dżdżownicę

Nigdy w życiu!

Serce na temblaku

Ja wam pokażę!

A nie mówiłam!

Katarzyna Grochola
i Andrzej Wiśniewski
Związki i rozwiązki

Osobowość ćmy

Kryształowy Anioł

Zielone drzwi

Katarzyna Grochola
i Dorota Szelągowska
Makatka